P9-AQK-867

Feral

Feral

Gabriela Jauregui

Primera edición: 2022

Imagen de portada
© Pia Camil

América 109
Colonia Parque San Andrés, Coyoacán
04040, Ciudad de México

Sexto Piso España, S. L.
C/ Los Madrazo, 24, semisótano izquierda
28014, Madrid, España

www.sextopiso.com

Formación
Rebeca Martínez

ISBN: 978-607-8895-02-1

Impreso en México

A mis amigas: las que ya se fueron, con quienes caminé y sigo caminando siempre.

Y a mis hijas, con la esperanza de que algún día esto parezca el documento de un pasado distante, casi inimaginable.

Para ADS: *porque la rebelión es el giro de manos del amante, siempre tejiendo.*

AHORA:
LA ISLA

¿Por qué hacemos todo esto? ¿Para vengarnos?
No, porque todavía queremos amar con pasión.
WAJDI MOUAWAD, *Incendios*
(trad. Humberto Pérez Mortera)

O izcatqui in ohtli tictocaz, ihuin tinemiz, y: ihuiin yn otechmozcaltilitiaque, in motecuiiotzitzihuan, in totecuyoan, in cioapipiltin, in ilamatlaca, in tzoniztaque, in quaiztaque. ¿Cuix cenca ixquich quicahuaya in, ca zan cencamatl in quitemacaya, in quicahuaya, in quihtoaya ca zan ie ixquich intlatol.

[Mira, así seguirás el camino de quienes te educaron, de las señoras, de las mujeres nobles, de las ancianas de cabello blanco que nos precedieron. ¿Acaso nos lo dejaron dicho todo? Tan solo nos daban unas cuantas palabras, poco era lo que decían. Esto era todo su discurso].

Consejos de la madre a su hija,
de *Huehuetlatolli: la antigua palabra*
(trad. Miguel León Portilla)

De pronto salimos del sueño. En el corazón del centro, en el ombligo de esta panza que alguna vez fue metrópolis y ahora es ruina pastel, capas y capas de detritus de civilizaciones y de humanos sin civilizar, de guerreros, de aporreados de la vida, de mujeres de la noche, de ruinas de templos mayores y otros menores como la Peninsular, el 33, La Faena, el Internet, el Guagüis, el Pervert, el Marrakech, de pilas de botas vaqueras ya sin par, de camisas de poliéster desgarradas por el tiempo, de penachos de plumas de quetzal ya no extinto, de tezontle, de flor de huauzontle, de asfalto, de maíz, de ajolotes, de ajorcas, y de cuentas de oro y estaño, de libros viejos de autores nuevos y libros nuevos de autores viejos, de sellos de goma, de tetrabriks vacíos de una bebida que se conocía como Boing, de dentaduras humanas hechas con dientes ajenos, de cuchillos con dientes, de calcetines 100% algodón, de balones de futbol ponchados, de tenis colgados, de trusas con impresos de tigres, de pieles de jaguar, de bocinas gigantes que hoy nos sirven de hogar, de aguas floridas, de despertadores que ya para siempre callan su titititi-titititi, de flores que escriben las cosas, aquí despertamos. En esta madriguera, en este sistema subterráneo de túneles interconectados cuya entrada se encuentra debajo de lo que alguna vez se llamó Dos Naciones, templo menor, ahora puro escombro y su puerta de entrada que resistió. En pocas palabras, en un túnel que pasa por debajo de la calle alguna vez llamada Simón Bolívar, un héroe de la historia de ellos, que no es la nuestra, nos amanece, que no es lo mismo que decir que nos madruga. Ya nadie nos madruga. Somos amas. De la calle. De todas las calles y los zaguanes. Dueñas del centro. De estas 669 manzanas en ruinas que son nuestras. Acá somos manada Alfa. Más allá hay otras. Cachorrita, aquí en esta tierra que es tuya, que es de todos, vivirás y aprenderás a andar. A nadar en esta isla pastel al centro de las cinco lagunas. Pero primero escucha con esta lengua que te lame la oreja, que te lame los ojos, con esta lengua madre que cuenta, escucha tu historia, esto que te canto. Acá está tu ombligo cercenado con colmillo. De aquí soy, de aquí eres, de aquí seremos.

De pronto salimos del sueño. En el corazón del centro, en el ombligo de esta panza que alguna vez fue metrópolis, naces. De esta panza mía que fue tuya toda, en medio de la primavera te doy la luz, a esta tierra llegas a cantarle a la luna. A dialogar con el ocaso, con la aurora. Te canto, te lamo con esta lengua. Te cuento, chiquita, con nuestra lengua madre. De pronto salimos del sueño pero antes salimos de una pesadilla. La de aquellos. Destruyeron águilas y tigres. Con su tinta negra borraron lo que fue la hermandad, la comunidad, la nobleza. Escucha estos lamentos, estos cantos, estas grabaciones del pasado en cintas magnéticas, en CDs resplandecientes, en cuadernos y en formatos difuntos cantan las voces de los fantasmas. Pero siete siglos en esta tierra no lograron difuminar nuestro aullido que se elevaba hasta la punta de esa Torre Latinoamericana, hoy columna vertebral torcida. Aunque sea de jade se parte, aunque sea de oro se rompe, y si es de plástico *made in china* se chinga, decían los antiguos. En cambio este hueso y pelaje perdura. Nuestros dientes desgarran y desgarraron. Nuestros colmillos salvajes están solo un poco aquí, y ese poco, luego se volvió otro poco, luego otro poco más. Empezó con la perra vida, continuó con el perreo. Los humanos imitándonos. Siempre quisieron ser como nosotros. Changos locos. Nunca tuvieron el coraje ni el olfato para aguantar. Acá, coyotita, escucha, se marchitaron solitos, se amarillecieron. Los madrugamos. Perras, coyotas, lobas grises volvimos. Y así de cuatro en cuatro como una flor se fueron secando aquí en la tierra. Nosotras en cambio florecimos. Como cactáceas, como suculentas. Aguantamos sin agua, hasta que el centro, el ombligo, el corazón se volvió a llenar, primero se llenó de sangre, luego de agua. Con gusto a lengüetadas nos la bebimos la sangre y luego el agua. Perras, coyotas y lobas grises. Con esta lengua que escuchas. Como la cuenca del ombligo, esa cicatriz que queda de nuestra vida dentro de la barriga, se llena de agua cuando estamos panza arriba bajo la lluvia, así este cuenco se volvió a llenar y así también aguantamos. Nadando de perrito sobrevivimos. Ellos se fueron al lugar de los descarnados, y nosotras acá quedamos. Otras.

De pronto salimos del sueño, cachorra. Nuestras camadas nacieron en madrigueras de iglesias, de Montes de Piedad, de murales pintados. Salimos del sueño cuando de pronto se abrieron las jaulas de esos pajaritos que habían sido nuestros vecinos de piso, de zaguán, de patios polvosos, de techos de lámina ruidosa, esas aves que vivían para sacar pequeñas fortunitas impresas en papeles de colores, y las que morían como amuletos para el amor humano. Volaron todas, volaron. El pájaro más afortunado, que sacaba fortunas para las mujeres emocionadas y embriagadas de ilusión frente a las tiendas de vestidos de novia en la calle de República de Chile, fue quien anunció el lago de sangre. Nosotras en nuestros zaguanes donde nos pateaban en las mañanas lo escuchamos, desde las vecindades, los tianguis y las plazas frikis, vibramos su canto, su agüero. Todo lo que es verdadero, lo que tiene raíz, aquí perdura.

De pronto salimos del sueño. Escucha bien, xocoyotita, el canto de los que madrugan. Lo que es verdadero lo comemos, lo demás lo observamos como pastel de cumpleaños ajeno. Aquí en el centro, en el interior del corazón, inventamos nuestras palabras, dejamos nuestras huellas. Amigas, águilas, jaguares, mayates, zorras, ciborgs, trans, poetas sin trincheras, ambulantes, todos fueron a la región del misterio después de beber de las flores que embriagan, las flores del tiempo de lluvia, de corolas abiertas. Por allí el ave parloteaba, cantaba y conocía la casa del misterio. Supimos escuchar. Con nuestros aullidos, nuestros cantos y el canto de esa ave, nos alegramos. Lejos se escucharon nuestros aullidos, hasta la punta de las antenas de la estación de televisión que estaba allá casi por Balderas, hasta la punta de la torre Banobras por el norte. De la Alameda a la Lagunilla también nos alegramos, de la Merced al mercado Mixcalco los escuchamos, hasta afuera de la arena México nos relamimos los belfos. Toda esta isla, nuestro territorio. Todo este *detritus* que habitamos. Nuestra tierra de pastel, de deshechos de la historia, sobre la que dejamos huella.

Por experiencia conocimos los tacones y las puntas de los zapatos, conocimos también las cadenas que ahorcan, conocimos abusos, conocimos palos, los collares tirantes;

por experiencia conocimos la soledad, el hambre; por experiencia conocimos también las manos tendidas con tortilla seca, las manos de niñas suaves, suaves como pétalos de la flor que embriaga; por experiencia conocimos los restos de los tacos de trompa y tripa de los cocuyos, los caparazones vacíos de acamayas afuera del Danubio, conocimos todo esto y más. Olfateamos mierda y vómito; olfateamos barrigas y guitarras en Garibaldi, mezcal regado como ofrenda a los antiguos, pulque rancio, perfumes de gardenia; por experiencia conocimos los zapatos de plataformas transparentes, lamimos esos pies, conocimos las ajorcas preciosas. Conocimos las marchas de esos humanos que estaban tan desahuciados como nosotros. Compartimos plancha de Zócalo y zaguán con ellos. Conocimos el zumbido veloz del metro, serpiente desplumada y naranja que iba por las entrañas de este centro, en el lugar del calor, en el lugar de la oscuridad, hasta que se paró, se frenó. Olfateamos las fosas, olfateamos tzompantlis y rosarios de madera. Vimos los socavones tragarse casas; por experiencia olfateamos esos huecos, su polvo, y nos alejamos hacia el olor de la flor de maíz tostado. Nos escondimos. Nos dormimos en el zaguán de la historia de ellos, los hombres. Las que se prestaron fueron abandonadas, maltratadas. Se fueron al lugar de los descarnados. Mal agüero para ellas, para ellos. Nosotras comimos carne, mucha carne. Sobrevivimos, aguantamos aquí en esta tierra.

Por experiencia, entonces, maravillosas amigas nos invitaron al placer, nos embriagamos juntas, nos unimos, nos conocimos, cogimos y nos fuimos. Nos huimos. Nos hicimos muchas. Erguidas y entre las mazorcas y los huesos nos fuimos. Nacimos abandonadas, así que nadie nos dejó. Con la espuma de nuestro cacao nos hicimos muchas y muchos. Nos hicimos compañía. Nos hicimos manada. Nadie más nunca abandonada. Nunca abandonado. Nunca separado por ninguna jaula. Cantores, cantoras, aves, caninos variopintos, que sea así, que elevemos nuestro canto, mi pequeña.

Mientras, aquí despertamos, aquí escucha. Que se abra tu corazón, que tu corazón venga a acercarse. Toma tu teta. No pidas mi muerte, cachorrita, algún día me iré a otra casa, a otro zaguán. Los zaguanes quedaron como arcos, como las puras velas del pastel, como en vela, aquí en este postre de ruinas. Sin casas detrás, sin vecindades a las cuales entrar, sin antros, ni tiendas, ni changarros, ni restaurantes. Sin nada más que su parecido puro. Zaguanes esencia del zaguán, nuestro buen lugar en la tierra. Acá somos dueñas del cerca y del junto, del placer. Trataron de acabarnos, pero fueron ellos los que se marchitaron. Así vivimos en el lugar de su pérdida. En el cerca, en el junto. Sin estatuas de caballos. Sin sus clonadoras de DVDs y CDs, sin sus santas muertes, sin sus san juditas, sin sus vírgenes, reyes, virreyes, mirreyes. Así nosotras nos vamos encontrando. Nos vamos juntando. ¿A dónde tendremos que ir? Iremos a desgarrar, mi más pequeña, mi socoyota. Así brotamos como el aliento, así brotamos como el maíz tiernito y verde; así brotaste de acá en el centro, en el ombligo de lo que alguna vez se llamó Nueva España, o DeeFe, o CedeEmeEquis, la capirucha, Anáhuac, la cacerola de nata, la gran Tenochtitlán.

De pronto salimos del sueño como hierba en primavera. Abre bien tus ojos, cachorra. Daremos deleite con nuestro canto. Siente la punta de mi hocico frío y húmedo que te alienta. Párate. Anda. Camina, camina por las calles de tu centro, de lo que se llamó ciudad, haz tuya esta ruina gigante. Tu territorio. Méalo. Su polvo vuélvelo tu lodo con tu mierda, con tus orines moja sus vestigios de muchos tiempos. Aquí en tu tiempo repartimos los dones, los alimentos, lo que da abrigo, los zaguanes para todos, la tierra, el agua, la flor, el elote, la carne la desgarramos. Escucha las voces de tu manada que te llaman. Que te alientan. Anda, corre. Sus aullidos llueven como esmeraldas y plumas de garza. Así hablamos. Así hablamos con perfumes y flores. Siente tu manada en tu corazón. Siente el ritmo de sus patas con cada latido. Siente tu pertenencia. Vuélvete nosotros. En todas partes está tu casa. En todos los zaguanes del centro. Este es nuestro territorio, tuyo ya, pequeño corazón que acaba de brotar. Habítalo. Traza una línea de Mina, República del Perú, Apartado, Leona Vicario, República de Guatemala, Avenida del Trabajo, Arcos de Belén, Eje Central, hasta Avenida Juárez. Dibuja los límites de esta isla en tu corazón, luego pinta esas calles con tus meados, con tus cantos floridos. Que se manchen de sangre. No en vano estamos aquí sobre la tierra que es nuestro patio florido, no en vano logramos perdurar en esta tierra del momento fugaz.

De pronto salimos del sueño y encontramos nuestro centro en el centro, en este ombligo nos nutrimos, aquí crecimos y seguimos. Sal de este túnel. De madrugada sales de tu madriguera. Ahora te toca a ti, benjamina. Sal a cazar con tus diminutos dientes filosos. Desgarra lo que quede de aquellos. Desgárralos, chiquita. A los que intentaron borrarnos. Separarnos. Búscalos. Vamos. Vamos a sus ruinas, a sus edificios torcidos, caídos. Vamos a sus jaulas. Vamos a sus fábricas inútiles. Allí donde se quedaron marchitos, amarillos. En sus ruinas los buscas. Les muerdes el talón. Cuando caen, les comes las caras, les comes los ojos, les comes el cuero de serpiente inmóvil, afilas tus dientitos en sus costillas, adórnate con sus collares, jocoyotina, hasta que lluevan las flores de las jacarandas en primavera. Y así nos alegramos.

De pronto salimos del sueño, respondes con un aullido a tu manada y así nos alegramos. En el centro de esta tierra, en todas partes, está tu casa. Aquí donde los colorines y las jacarandas floridas se yerguen y ya no hay atabales, y ya no hay armas de metal, ya no hay cadenas. Aquí en el ombligo, canta, aúlla, responde a tu manada con tus dientes recién brotados, con tus dientes como agujas ensangrentadas, así nos alegramos.

ANTES:
EXCAVACIONES

Mamita, no llores mis cenizas.
Si mañana soy yo, mamá, si mañana no vuelvo,
destrúyelo todo.
Si mañana me toca, quiero ser la última.
(carta de Cristina Torres Cáceres a su madre)

«...que Ifigenia, a quien he engendrado, sea sacrificada
[...]
que nuestra navegación y la ruina de los frigios dependen
de este sacrificio, y que nada de eso sucederá si no la
sacrificamos».
(*Ifigenia en Áulide*, Eurípides)

Llévate entre las manos, cogidas con tu ingenio,
estas dos conchas huecas de palabras: ¡No quiero!
(*Ifigenia cruel*, Alfonso Reyes)

Todavía afuera, llueve sangre. Habrá que aprender a beberla también, al fin que como dice el poeta, el blanco, el negro y la sangre combinan con todo.

Afuera, mueren las palmeras, los pinos, los mares escupen la basura y sus monstruos, los lagos se secan, se llenan de veneno.

Adentro, ya solo algunas recuerdan lo que era salir de noche en aquel mundo a comprar cervezas entre risotadas, olor a cigarro y demasiado perfume. Con el rimmel corrido y el delineador de colores borrado, recuerda una de las que mira, ya mayor. Ya mis uñas largas y decoradas son garras, dice otra, de las que duerme. Y de tanto correr a cuatro patas por estas galerías y grietas, mis músculos desgarraron las mallas y uso zapatos en las manos, puntualiza una de las que sueña.

Nos escondimos temblando de miedo, de coraje, erizadas, crespas. Con el baile vivo aún, latiendo en el corazón. Para sobrevivir vibramos tan bajo que fuimos subterráneas. Masticamos la materia impropia. Nos hundimos en los restos ajenos para salvar al mundo con cada grito.

Así, de a poco, las que rascamos vamos construyendo nuestro archivo de la fiebre. Desde dentro rascamos para algún día salir a la luz. Vamos juntando retazos, trozos, esquirlas, birlos y tuercas para rearmar la memoria. Lentas, con lentes quebrados, codificamos en 1s y 0s, palitos y bolitas, nuestros códices semillas que al ser sembrados darán hojas de memoria. Impresión, rastro, inscripción, envoltura. Pepitas y granos que una vez colocados en la punta de la lengua transmitirán toda la información que contienen. La incorporarán. Sabiduría soluble. Esos cantos mutados en flores es lo que resiste bajo esta tierra.

Ahora nos quedan estas letras parpadeando, somos la acumulación, la cosecha de signos.

Versiones, y subversiones. Y las que rascamos y cuidamos somos cuerpo también. Las voces de muchas en una. Secreción y secreto. A voces.

Abajo, sabemos que nuestro archivo es, antes que nada, una promesa. La mano vuelta. También, después de todo, es un habitar, un quehacer, un refugio. Nuestro archivo, que es suyo también, es una herida y un antídoto posible.

Para hacer sujetos de tantos objetos y documentos que fuimos encontrando, tramar sus historias de retales, astillas, esquirlas, aserrín. Decidimos no suprimir ni reprimir sino excavar, abrirnos como bocas destapadas, dilatarnos, y que sus restos, rastros, rostros, hablen a través nuestro.

Mientras arriba todo arde, lo que resiste bajo esta tierra es rascar hasta construir la posibilidad del futuro en medio de la catástrofe.

Esto que lees es una colección de colectividades. La puesta en común. Y si nos preguntas qué nos autoriza, respondemos que estamos a consignación. Entre decidir y disidir, rehacemos la piel como acto de amor. Dar la piel, devolver el cuerpo, remembrar. Aquí hablamos y escuchamos a los fantasmas. Esta es una transmisión bisagra entre lo que fue y lo que será, ¿nos copias?

¿Qué por qué conservar estas historias que conocemos tan bien? ¿Por qué esta y no otra? ¿Por qué dedicarle más tiempo? Porque aquí dentro de la tierra, desde estas cuevas, túneles, galerías y madrigueras, combatimos la pérdida, la fuerza de destrucción de allá arriba. Porque sabemos que algún día este archivo será jardín. Porque de allí brotaremos como liebre, como la fiebre que aflora, como agua viva, tiernitas. En nosotras arde este deseo porque existe tan cerca la posibilidad del olvido. Ten aquí entonces este testimonio folicular. Te dejamos para muestra este botón, estas cuatro amigas y su comuna, uno de los recuerdos que hemos tejido en hilo de micelio y en el que nos entrometemos, y también interpretamos. Metemos de nuestra cosecha dedos, narices, cucharas. Sí, archivar documenta a la vez que genera. Estamos en regeneración permanente (disculpa las molestias que esto te ocasione).

Pero nos desviamos.

Somos juntas y esto que contamos es como el rastro de algo que se revela en una ventana cuando sopla el aliento. Aparece y desaparece.

Y no soltamos.

Antes eran crepusculares. No cabía duda. Comían bisquets que escurrían mantequilla y después, con los dedos todavía grasosos, iban al gimnasio. Y así con todo: cocaína, MDMA, 2CB, THC y, después, semanas de CBD, jugos y licuados. Era un síntoma. Era una época. Crepuscular. No podían pensar en otro adjetivo.

Y una de ellas, Diana, sin poder callar esas señales desde el más allá. Las que le dictaban y le dictaban y la obligaban a escribir aunque hubiera preferido no hacerlo. Pero si no, ¿qué habría hecho? Ya antes había intentado silenciar las señales con drogas, con alcohol, con ansiolíticos, con sexo, había tratado de tapar todos los orificios y poros, pero no. Las señales venían. Le mostraban sin necesariamente revelar el futuro, le decían qué decir y qué pensar acerca de lo que le pasaría o no a la gente.

Ese don: más bien una responsabilidad y un peso. Esa voz que no era de una, ¿sino la voz de qué? ¿El universo? ¿De todas? Diana se tatuó visiones, algunas luminosas, otras terribles, en el cuerpo. También tenía marcas y cicatrices. Su cuerpo era donde escribía y era escrita. Esa era su forma de downloadear las visiones que le llegaban como palabras, como sentimientos a veces tan fuertes que la mareaban. En otra época la hubieran llamado bruja; en otra maga; en algunas culturas, chamana; en otras diablo. Entonces la mayoría crepuscular simplemente creía que era una buena mentirosa, a veces hasta atinada. Una fabricante de futuros posibles. Y además era una tatuadora muy reconocida en ciertos círculos. Pero nada más que eso.

Chupar. Le venían desde lejos estos mensajes. Y la chupaban y le lamían el cerebro como una paleta, hasta escribirlos. Una lapa pegada allí succionando hasta que se le diera libertad con las palabras en la página o con las agujas en su piel. Más que escribir, describía o traducía y dibujaba lo que veía. Además de su cuerpo, también estaba el cuaderno, ese libro de profecías.

Alguien dijo por allí que la belleza se termina donde empieza la expresión intelectual. ¿Y qué hay de la política? ¿Cómo puede haber belleza sin expresión intelectual? ¿Y qué importa todo esto, ahora? Yunuen, no lo puede evitar, se preguntaba esto por enésima vez y miraba la nada mordiéndose la punta de los dedos. Era el mes de junio cuando pasó El Día 0, o como le decían en ese entonces, el Peor Día, y ella estaba en una residencia en las montañas rocallosas de Canadá, donde la habían invitado específicamente para desarrollar y sobre todo editar un video en el que incluiría los 165 ríos más importantes del mundo, algunos profundos, otros casi inabarcables. Aguas de tonalidades distintas, de texturas aterciopeladas, sedosas, tenebrosas. Ningún mapa será nunca el territorio.

Hubo muchos Día o después. El calendario de todas quedaría trastornado, el tiempo cambió. Y cada vez se sumaron más incógnitas. En ese entonces, Yunuen quería que los tonos de agua se volvieran un nuevo espectro de color, quería también que el chorrear perpetuo de la corriente en el bucle del video fuera como un continuo, un todo, que llevaría a pensar en lo cruel de las fronteras. Quería que fuera un comentario acerca de la unión. Los ríos son cuerpos de agua, somos cuerpos de agua, y todos se unen, finalmente, en los océanos.

Los límites. Las fronteras. Lo que divide. Lo que desborda.

Así estamos: desbordadas. Esto que lees, esto que ves, esto que escuchas: los hilos deshilvanados. Hebras nuestras. Suyas. Tuyas. Muestras. Rastros. Restos. Manchas.

Reconstruimos este testimonio para que se sepa que ellas vivieron juntas durante más de cinco años. Que podría parecer una coincidencia, pero si le pudiéramos preguntar a Diana, nos diría que las coincidencias no existen. Diana y Eugenia se conocían desde niñas. Eugenia y Yunuen se conocieron de adolescentes cuando les daba por ir a las mismas fiestas en el Ajusco, en el camino al Desierto de los Leones, en Copilco, Cuicuilco, Xochimilco. Yunuen estudiaba en el CCH sur y Eugenia en una escuela activa, y se conocieron por amigos en común. A Yunuen le gustó su inteligencia fría y humor cálido. Se dejaron de ver un par de años. Luego se volvieron a encontrar en la inauguración de una exposición colectiva. Yunuen había colaborado con otra artista de la exposición en una pieza que incorporaba la arqueología. Volverse a ver fue como si nunca se hubieran separado. Una tarde lluviosa, en una sesión de escucha de instrumentos prehispánicos en la Fonoteca en la que músicos que tocaban instrumentos de barro y madera y hueso y Saratoga tocaba una caracola pequeña pero potente, Eugenia conoció a Saratoga y se enamoró en silencio de sus manos. Se volvieron amigas muy rápido. Eugenia sabía que no debía vivir sola nunca porque estaba segura que de lo contrario sus neurosis la dejarían sola, o peor, encerrada en el psiquiátrico como su mamá y poco después también le propuso compartir departamento. Así, acabaron compartiendo ese espacio todas, donde sin saberlo empezaría el final.

Una noche, eran las cuatro: Eugenia, Diana, Yunuen, y Saratoga. Así fue como empezaron a llamarse la comuna. Allí también estaban José y Daniel y Gabriel. Había gente que iba y venía. Y lo que siempre quedaba: la música. Que esa noche era particularmente chiclosa, deliciosa, derretida. Y así se fueron fundiendo poco a poco. Así se fundaron y fundieron. Saratoga no tomaba drogas, a menos que la nicotina cuente. Desde niña vio lo que las drogas le hacen a la gente y no juzgaba ni consumía. Pero esa noche igual se fundió. No es que hubiera tomado drogas, solo estar allí con seis personas en MDMA y una puntita de LSD fue lo suficiente para psicoactivar. En el tapete de la sala de lana morada, gastada y algo polvosa que encontraron en una ida a la pulga, que ya no existe como tantas otras cosas buenas, habían regado todos los cojines que habían ido coleccionando a través del tiempo (cómo olvidar esos detalles tan estúpidos pero tan de la vida: uno forrado con una manta bordada que había traído Eugenia, otro con un trabajo de parches hindú, otro más de lana, otro más con un estampado modernista, y otros varios menos definidos y más deformados por el tiempo). Algunos estaban de pie, bailando, otras en el piso echadas viendo las sombras en el techo o la pared. Apagaron las luces, prendieron velas. Clásico. Y de pronto empezó. Empezó con un calcetín por aquí y un suéter por allá; empezó como si nada. Unas desvistieron a otras: para hacer un masaje en el cuello más a fondo, para hacerse cosquillas suavecito, piojito. Saratoga le desabotonó la camisa a Eugenia con todo cuidado y despacito. Alguien cerró las cortinas. Saratoga se dio cuenta que nunca había pensado en Eugenia, ni en ninguna mujer, así.

Caricias. Más caricias. Lenguas, dedos. Pitos erectos, clítoris palpitando, pezones duros, sombras suaves, piel rayada. Recordarlo hace que algo se encoja en el estómago. Esa noche se miraron y se encontraron magníficas: Diana tan pálida como si fuera habitante de la luna con los pezones ligeramente cruzados por venas de sangre azul, cuando se quitó el vestido se veía un terciopelo ligeramente dorado recorrerle la espina. Nunca antes lo habían notado, pero rápidamente la fuerza de su cuerpo tatuado y lleno de cicatrices las entretuvo, las sostuvo, les contó historias desconocidas de ellas mismas. Saratoga no se distrajo, le lamió el terciopelo, se lo despeinó con la lengua. Yunuen era morena con los pezones oscuros, casi negros, pero cuando Saratoga chupó uno, cambió de forma con relación al otro; luego le chupó el otro y se emparejaron: sus pezones eran como un fenómeno de la naturaleza, como anémonas submarinas que te llaman a tocarlas y luego se encogen para luego volver a salir a llamarte, algo así. Eugenia reía con sus dientes como guerreros afilados, con su trenza finalmente deshaciéndose, algo que rara vez veía cualquiera fuera de la regadera, se iba desenrollando toda entera conforme pasaban los besos y los estrujones, se le soltaron los chinos poco a poco y luego, cuando estaba sentada encima de Daniel moviendo las caderas hasta que hacían unos pequeños mugidos, parecía una figura mitológica venida a este mundo. Mientras le besaron el cuello tan largo a Eugenia, estirado por la música, dorado de tanto trabajar en el sol y con lunares que parecían recordar las constelaciones de las que habría salido, Yunuen la lamió y le dio vueltas a su oreja caracol. De sus labios brotaban flores peligrosas, helechos, risas, luz. Toda ella sabía como a galleta, de esas que saben a dulce con unos granitos de sal. Estaba calientita. Todos. Saratoga era muy flaca, y cuando José se acercó a probarla, se veían los huesos de sus caderas casi tanto como su frente. A saber si era la primera vez que José hacía algo así con una mujer, pero le hizo unas ligeras cosquillas con la lengua en la punta del clítoris que dejaron a Saratoga sintiendo luces en todo el cuerpo. Tocar su pelo denso, y jalárselo de placer, suave, porque le salían estrellas del cuero cabelludo. En otro momento chupó a Daniel con una lentitud que parecían sumergidos en miel: justo en ese momento en que la miel cae de la cuchara y se estira. Lo sintió crecer y crecer en su boca, y tuvo cuidado de no lastimarlo con los dientes. Solo se ayudó con los dedos largos moviéndose como ramas en invierno. En un momento cuando Gabriel chupaba a José, Saratoga metió un dedo largo y delgado en el ano de José. Sintió sus contracciones. Sintió como si se lo chupara hacia dentro de sí más y más y después lo dejaba ir. Encontraron un ritmo y mientras, Daniel veía a Saratoga por encima de Gabriel y, de los hombros de José, hasta que se besaron. Uno de esos besos, de los que son perfectos diálogos sin palabras, sincronía de lengua, de dientes en labios gruesos (los labios de ambos eran carnosos, pero nunca habíamos pensado en ellos hasta entonces tampoco, y los de Saratoga también, herencia del origen de su nombre). Había un olor a resina y sal del sudor, como algo casi submarino.

Las letras titilan.

Nos aferramos, nos agarramos de lo que podemos con los dientes, hasta el desgarre. Hasta que sangre. Nos aferramos. Nos sujetamos a un límite. Para no olvidar. Nos asimos. Nos rehacemos.

Sentarse uno en el otro, frente a la otra, encima de la otra, acostarse, frotarse como para que salgan chispas y conocerse de otro modo. ¿Alguna vez les ha pasado que tocan a alguien en la oscuridad y por la electroestática ven salir chispas? Es un fenómeno natural. Esto fue algo así. Cómo contarlo de tan suave. Nada del *modern love* que Bowie repudiaba en su rola. Algo más. Puro amor y deseo cumpliéndose. Como una consagración. Como cuando los instrumentos en un grupo afroantillano se conjuntan cada uno a su ritmo y contrarritmo y funcionan a la perfección. Decía Saratoga que si fuera católica creería en el concepto de comunión y si fuera pagana este sería su ritual. Al final jalaron todas las cobijas de todos los cuartos y durmieron trenzados en el piso con el amanecer. Nadie se quedó sola. Esa noche fueron un todo. Un uno. Nidada.

Para Diana, el peso venía no solo de la responsabilidad de lo que veía, visiones a veces terribles, a veces deslumbrantes y hermosas, también venía de cómo balancear la interrupción de la señal con una vida crepuscular. Cómo salir a comer un taco con amigos sin que de pronto le cayera encima la voz, las voces. Cómo ir de paseo sin quebrarse bajo su peso. Cómo ir a bailar con alguien sin ensordecer con los alaridos. Parálisis. Una balanza desequilibrada por el peso mismo. Inútil.

En las respuestas, el viaje.

> *El caballo era un gran perro, un perro sagrado. Junto a él había un hombre de baja estatura. Un eunuco con las uñas del cosmos. Juntos celebraban a un bebé y me lamían la palma de la mano.*
>
> *Ojos-dormidos y piernas-quemadas sentados junto a una piedra mirando el lodo correr frente a sus pies. En el lodo había piedras de colores miniatura. Caía todo a un lago blanco de leche.*

Las visiones llegaban, y a veces las interpretaciones tardaban meses, incluso años en llegar. Quizás era por falta de experiencia. No tenía a nadie que la guiara. Había momentos en que lloraba y lo hubiera dado todo por no tener una visión. Y otros, ya después, en los que hubiera llorado por tenerla. Pero las visiones llegan. No se piden ni se espantan ni se escogen. Las visiones llegan como llega la marea, como el sol después de la luna o un dolor de cabeza después de demasiado vino. Hubo días en los que pensaron que Diana iba a enloquecer.

Un bosque de víboras en vez de lianas y ramas. Víboras, culebras, serpientes de todos colores y tamaños. Movimiento de culebras como un río. Una me mordió entre el pie y la pierna.

Al despertar, al salir de esta visión, Diana tenía el pie hinchado como si de verdad la hubiera mordido la serpiente. Era adolescente. Las botas militares que se ponía para ir a la escuela no cerraban de lo hinchado que tenía el tobillo. A veces las visiones contagiaban la realidad, o peor, eran más reales que la realidad.

Eugenia siempre la ayudó con todo eso. Aunque le decía «fabricante de futuros» de broma, desde que eran niñas ella entendía mejor que nadie que lo de las visiones era algo cabrón. Durante un tiempo Diana estuvo convencida de que algo la seguía. Y un día, mientras se agachaba a recoger las llaves que se le habían caído (todo el tiempo cargaba demasiadas cosas, como si el hogar tuviera que llevarlo consigo siempre), lo vio. Era un gorrión. Se dio cuenta de que lo que sentía era cierto. El gorrión estaba allí mañana, tarde y noche. Si salía a buscar algo a la tienda de la esquina, el gorrión se quedaba recogiendo basuritas o migajas o bichitos en el marco de la puerta del edificio. De pronto le daba un calambre en el parque mientras corría, y se posaba junto a ella mientras estiraba un músculo adolorido. Iba de fiesta y a la hora que fuera lo topaba en el camino de regreso a casa. Le dio gusto sentir que sus presentimientos tenían fundamento. Y así, viéndolo dar brinquitos todos los días a horas diferentes, se le fue levantando un peso de encima. Se lo tatuó en menos de 2 centímetros entre el pulgar y el índice de la mano izquierda con aguja de 1RL. Empezó a aceptar lo que parecía ser destino. ¿Y quién creía entonces en el destino? ¿Pero quiénes éran, gorrioncitos cualquiera, para no creer en eso? A contagiar su ligereza.

En su búsqueda, después de que fue asesinada, entre sus cosas, sus amigas encontraron este diario de Eugenia. No queda más que imaginar su voz.

> Adalberto:
> Te llamo Adalberto porque no se cómo llamarte papá. Mi progenitor eres, pero no eres mi papá. Aunque obviamente el hecho de que te escriba estas palabras delata que alguna parte de mí quisiera que lo fueras. Hijo de la chingada. Cabrón. Culero. Culero. Bueno ya. Allí está. Escrito. Dicho. Aunque no sé si saldado. Ahora lo que sigue: tengo 25 años. Nunca me has visto. Se acerca lo que mi amiga Diana llama la vuelta de Saturno, y ve tú a saber, igual por eso mismo te escribo. ¿Serás tú Saturno, será que volverás? Será que si así fuera, ¿te daría esto que escribo? No sé.
>
> Cuando era niña, cuando ya no estabas, claro, tenía un diario. Creo que tenía un dibujo cursi como de un gatito con un paraguas en la portada rosa. Y vaya que si necesitaba un paraguas, pero cósmico. Total, era mi diario y allí escribía no se qué tantas cosas de la escuela, de mis amigas, del clima, de la guerra. Me acuerdo que guardaba

recortes del periódico de mi mamá. Me acuerdo que me parecía importante guardarlos, tener un sentido de la historia. Imagínate. Según yo era como una Anna Frank contemporánea, prisionera de otros miedos, no menos reales pero menos concretos tal vez. Ahora resulta que ese diario lo reescribió el padre de Ana. Qué reescribirías tú, o más bien: qué borrarías. ¿Te borrarías a ti mismo? ¿A mí? ¿A mi mamá?

De niña yo tenía mucha preocupación por la Guerra, así con G, y en mi clase había refugiados de una guerra, aunque en ese momento yo no entendía las implicaciones de eso. Ya mucho después cuando pasó lo de los zapatistas quise unirme a ellos. En serio. Fui a hablar con los papás de Saratoga, que en algún momento habían estado muy metidos en movimientos de lucha aunque ya después nos desesperaban sus incongruencias. «La arrogancia de la juventud», me dijo su mamá sacando un pan del horno, así con un chingo de cariño. Qué arrogancia de qué... Mi madre ya me había dicho que era yo una ingenua y que además si yo también me iba se iba a quedar sola. Todavía hablaba en ese entonces. Por momentos. Pobre, siempre odió estar sola y a la vez se condenó a esa soledad para siempre. A veces me pregunto si ella fue quien te echó. Su locura y tu ausencia son como el huevo y la gallina. ¿Quién empezó qué? Durante mucho tiempo sentía que me tocaba a mí desenrollar ese misterio, pero luego me di cuenta que no. El papá de Diana se puede decir que también las abandonó, pero suicidándose. Seguramente en ese diario de niña dice que por eso nos volvimos amigas: nos unía ser parias. Su papá se suicidó porque perdió todo con la crisis. No entiendo cómo el dinero podría orillar a alguien a violentar todo así. Diana está enojada todavía con él aunque diferente que yo contigo. Tú sigues vivo, cabrón. Bueno, se supone. No me consta. Su mamá, a diferencia de la mía, se había conseguido novios y amantes de todos colores y sabores y olores y humores. Ella fue como una adolescente más y sigue siéndolo. Eso fue bueno y malo para Diana porque se los tuvo que fletar, pero al menos su madre no se volvió loca. Eso es lo que yo le recuerdo cuando se enoja. Y aunque a Diana no le guste oírlo, se parecen cada vez más ellas dos. Será que por eso nunca la invita a casa, a la comuna, como le decimos todas menos los papás de Yunuen, que primero se mueren que pensar así de su hija. Eso sí, la mamá de Yunuen cocina las cosas más deliciosas que he probado y eso que por ahora he probado de todo casi en la ciudad y sus alrededores y aunque luego a Yunuen se le olvide, su mamá es la más jefa. No se por qué te estoy hablando tanto de las madres, seguro porque tú tienes tan poca. O porque quisiera recordarte todo lo que no fuiste.

De niñas, Diana tenía un conejo de mascota. Un día desapareció. Encontramos rastros de sangre en los escalones de su casa y nada más: ni media pelusa. Días después escuché a la vecina decirle a su mamá que tal vez lo había destripado el hurón. Diana estaba convencida que su conejo se había ido a ayudar al conejo de Pascua. ¿Y la sangre?, le pregunté. Eso seguro fue mi mamá, ella sangra a veces, dijo. No respondí nada, pero llegando a casa busqué *hurón* en la enciclopedia que le había regalado mi abuela a mi mamá. Los hurones habían sido domesticados hace 2500 años para cazar conejos, leí. Ese día entendí algo sobre lo que parece ser cruel pero no lo es. *Desentrañar*, escribo y subrayo esa palabra. Estoy por terminar mi tesis de doctorado y ahora, por fin, tengo el trabajo de mis sueños: estoy en plena excavación en Teotihuacán. Nadie se imagina todo lo que se esconde debajo de nuestros pies en este país, o al menos en este valle. Capas y capas de gente, vida, muerte, cenizas, barro, historia.

Quizás más bien esto sea un diario de campo. Y luego borraré todo lo que escribo de ti. Eres solo mi pretexto. Tómala.

Encontraron un túnel debajo de Teotihuacán. Me llamaron. Hoy nos metimos en el túnel 1, sección C debajo del templo de la serpiente emplumada. El túnel se había cerrado hace más de mil ochocientos años. ¿Te imaginas? Y llevamos apenas explorándolo unas semanas. Primero con robots y ahora con nuestros cuerpos. Encontramos que había un cielo lleno de estrellas. Es decir, para ser precisa, que la parte superior del túnel está incrustada de pirita para que cuando pasara alguien con una antorcha (hoy linterna) se creara el efecto de que el techo centelleaba como la cúpula celeste. Algo realmente de otro mundo. Confirmamos el uso ritual de este túnel no solo con esto sino también con los miles de restos, huesos, conchas, perlas, esculturas de piedra, figurillas de barro, ofrendas. Según nuestros robots hay más de cien metros de túnel, apenas llevamos unos veinte y tenemos miles de objetos por clasificar. Siento que este podría ser el trabajo al cual dedicar mi vida entera. Por qué te estoy contando esto a ti, no sé.

Tal vez te lo cuento porque debajo de mis palabras se están cavando túneles, no tanto de ofrendas y sacrificios, pero sí que igualmente buscan una respuesta. Por qué te fuiste, si fue que tú no aguantaste, si mi mamá te echó, si todo era demasiado, demasiado de qué. Nunca he podido preguntarle ni a ella: cada pregunta acerca de ti era respondida con lo impronunciable: todas las palabras que no podíamos decir en casa porque eran de ti. Solamente una vez contó algo, así al aire, un día que no había yo ni preguntado: «A Adalberto le gustaba que le tallara la espalda en la regadera». Eso. Subí las cejas, esperando más. No me contó de la espalda, no me contó si tenía pecas, lunares, cicatrices, vello. Nada. Solo la acción de tallar, y el lugar, la regadera. Un recuerdo que para mí era justo como el agua de la ducha entre las manos, inasible. Y mi abuela nunca me contó de ti antes de morir. Mi única respuesta es esa ausencia manifestada en el cuerpo y la mente de mi madre como un límite rebasado. El día que no pudo más no recuerdo cuál fue. Recuerdo ser niña: recuerdo a mi madre en su cama. Recuerdo a mi madre rascándose siempre la cabeza, recuerdo con horror esos huecos de cuero cabelludo, como si rascándose fuera a encontrar allí alguna respuesta. La casa una sombra perpetua. El olor rancio de su recámara. Y esos sonidos sordos a través de los muros en la noche. Si se aventaba contra la pared, si le daban ataques, si se golpeaba la cabeza por ellos o a propósito: el terror de ese sonido seco y opaco a la vez lo tengo grabado profundo. Esa opacidad me volvió a los huesos una tarde que llegó Saratoga de con Francisco, su novio, ese músico mediocre que trabajaba de huesero para otros más talentosos y que le echaba su frustración encima a madrazos. Llegó así, sin voz. Lo que salió de su garganta al decirme hola fue justamente un sonido opaco, no roto ni rasposo, turbio. Traía una maletita con ropa que se asomaba por el cierre. La arrojó en su cuarto. Traía un cuello de tortuga aunque era mayo. Se sirvió un vaso de agua, se prendió un cigarro y se sentó al lado mío. Yo me había congelado mirándola sin saber qué preguntarle, pero sabiendo suficiente como para no preguntar cualquier cosa. *Hola*, me dijo otra vez con esa voz que no era suya, sino prestada de la penumbra. La abracé. Se sacudía en sollozos silenciosos. Dejó de cantar. Aunque después de una semana su voz para hablar volvió a la normalidad, nunca la volví a escuchar ni tararear. Ya ha pasado mucho tiempo. Eso le quitó Francisco. Cuándo fue que no supimos hacer las preguntas correctas para tenderle un puente de piedritas, unas migajas como de cuento de hadas oscuro hasta que pudiera volver a casa a salvo. Se rompió. Lo vi. En mi mamá y en Saratoga he observado que hay veces que las personas se rompen y que, así como los arqueólogos reconstruimos los objetos de cerámica, por más que vuelvan a cobrar una forma reconocible, no dejan de quedar llenos de las marcas de su rompedura.

Extraño vivir todos los días con Diana, Yunuen y Saratoga. Últimamente no he vuelto a casa. Estoy sola en una casita de block gris y polvoso que es parte del terreno de la familia Valero Flores en el poblado de San Martín de las Pirámides. Tengo que salir de mi cuarto y cruzar parte del patio para ir al baño en medio de la noche, incluso cuando llueve. A veces extraño la comodidad urbana (y burguesa, me recordaría Saratoga, con un guiño). Pero vivo rodeada de nopales en la calle de Ricardo Wagner, eso es bello en sí. Me gusta mi dirección, la yuxtaposición entre tétrica y apta de las pirámides y Wagner y mi casita con su techo de lámina y su ventana de aluminio. Los Valero Flores la construyeron para su hijo, pero como se fue a Estados Unidos y no parece tener intenciones de volver, la rentan a los arqueólogos. Hace calor en el día y frío en la noche. No me gusta el hormigón pero pues no me voy a poner de arquitecta descalza, es muy práctico estar allí y la familia, sobre todo Erme, la mamá, es lo más cariñosa. Te sonará imposible, pero lo cierto es que nos hemos adoptado y adaptado. Acá tengo una familia nueva, otro de los regalos de mi trabajo, y espero estar a la altura de su cariño y su generosidad. Compré un colchón y me lo traje en la camioneta de Antropología. Por ahora tengo eso y un poco de ropa. Mi vida sigue en la comuna pero, en la práctica, no se cuánto más pueda quedarme allá. No quisiera irme.

Al mismo tiempo aquí todo me llama: el polvo, los huesos, el barro en pedazos. Desenterrar es un acto bastante peculiar y va en contra de toda intuición e instinto. Nuestro reflejo natural es más bien enterrar. Somos como una mezcla entre avestruces y urracas. Pero lo que hago es lo opuesto. Marina, mi maestra favorita, decía que la arqueología es el arte de la destrucción pausada. Destruyes, documentando el proceso mismo de la destrucción, para poder saber qué hay abajo. Pero para saberlo, para preservar lo descubierto, tienes que destruir lo que descubres. Pero para saber cómo era eso que destruyes, documentas su destrucción. En esas ando. Documentar la destrucción, tal vez por eso me dirijo a ti.

En San Martín, si platicas con quien sea, salen las maldiciones, las leyendas de vasijas de barro con oro y plata que desaparecen o que se convierten en serpientes, que persiguen a los que las desentierran. Casi cada familia tiene sus historias. Hay quienes hasta las adornan con un toque de la maldición de los faraones revuelta con buena dosis de la Rosa de Guadalupe. Pero no te creas, nada nunca es puro nopal y novela. Hay muchos problemas políticos. Han cuidado su territorio con lo que han podido pero hay una voracidad que quiere acabar con todo. Imagínate el túnel que encontramos cuando ni sabíamos que existía, imagina todo lo que hay enterrado que sale de la zona protegida. Y ésta es solo la zona ritual. Aquí, donde revuelvas la tierra, salen cosas. Los Valero Flores tienen un par de figuritas que no quisieron devolver a los antropólogos. No las quieren vender. Sienten que son su patrimonio, y de cierta forma, la verdad, aunque ni debería decir esto, tienen razón. Me enteré porque a Ceci, la hija menor, se le salió. Es secreto, me dijo. Aquí hay muchos secretos. Y empiezo a darme cuenta de que hay muchas disputas. Llevo poco tiempo, pero no estoy sorda. Lo importante es cuidar lo que estamos encontrando. Cuidar la tierra por encima y por debajo. Cuidar lo que no se ha encontrado pero que no por eso deja de existir. Por eso tengo que enfocarme. Tengo que hacer mi trabajo. Ya no puedo estar en la fiesta perpetua, en la baba. Cuento los días que paso aquí gracias a mis benzodiacepinas. De pronto veo que llevo cinco días seguidos acá por las pastillas que me quedan. Tengo que quedarme en San Martín. Dejar la comuna. Siento que tengo un deber.

El cuarto de Yunuen veía las ramas del único fresno de la cuadra y diario, cuando dormía allí, la despertaba el canto de «el gaaaaaaaas» o a veces las bocinas con música y promociones de las tiendas de novias y quinceañeras. Algunas noches la despertaban los gritos de Diana. Dicen que los artistas tienen visión, pero Diana tiene otra cosa más profunda y cabrona. Algunas noches no dormían por ver películas de kung fu del Wu-Tang al hilo, la favorita de todas era en la que vuelve el Asesino con Cara de Fantasma a buscar venganza, o por echarnos alguna serie de televisión hasta que acabábamos allí desperdigadas en el sofá de viejo que nos habían regalado los padres de Saratoga, desayunando, ojerosas, frente al cenicero con mil colillas de cigarros y gallitos de los que Saratoga enrollaba mejor que nadie y nunca se fumaba.

Más de una vez Yunuen estuvo al borde de no volver a hablarle a Diana, pero al final nunca dejaron de estar allí, acompañándose. Una vez Diana sacó un cuchillo y amenazó a Eugenia y a Yunuen. Saratoga no estaba. La habían invitado a tocar en un festival en Monterrey, antes de que Francisco le sacara la música por dentro. Fue una noche de whisky, mixes y remixes de todo lo que nos cabía en la computadora hasta llegar al rebote del bajo dum-tata, dum-ta, remixeado con 2CB para algunas, mona o popper, o coca para otras, aprovechando que Saratoga no estaba (siempre la malviajó eso de la coca, droga de mamones, descerebrados y fresas, decía). Saratoga le entraba sobre todo al tabaco, y casi a lo que fuera, menos a las drogas. Como sus padres se habían metido de todo, alguna mala experiencia tuvo con eso de la que no hablaba nunca, pero sí se ponía loca y su cara se desencajaba. Saratoga tiene una de esas caras. Ni guapa, ni fea, ni lo contrario. Cara de pilla, eso sí, de pícara perpetua. Así también su inteligencia. Entonces esa vez que ella estaba en Monterrey cantando con su voz de vidrio pulido esa noche cuando quién-sabe-quiénes estaban durmiendo en nuestros cuartos, en la sala, en el baño. Diana estaba tan borracha que le dio por morder, se moría de la risa, y luego se metió a la cocina y Eugenia y Yunuen se voltearon a ver, cómplices, listas para ir a la cama resignadas a las locuras de su amiga cuando salió como amazona con un cuchillo. Para apuñalar al desconocido reventado en su cama, o para Yunuen, o Eugenia, o para quien se dejara. Diana al final calentó la punta del cuchillo al rojo vivo y se marcó un triángulo en el brazo. Una marca más, una cicatriz más que ella leía a su manera, que hacía que su cuerpo y su mente fueran una sola por un instante, o dejaran de serlo. O quién sabe. La sensación de saberse viva. Acabaron las tres sin dirigirse la palabra unos días. Luego Yunuen se fue a montar una exposición a Los Ángeles antes de que Eugenia, como siempre, lograra que todo quedara planchado.

No hubiera sido posible que Yunuen trabajara en lo que trabajaba, o mejor dicho, como trabajaba, si no fuera por Eugenia, Diana y Saratoga. La pieza de la residencia en la que trabajaba cuando mataron a Eugenia era una pieza que tenía que ver con ellas. Los poros, llorar para afuera, agüitarse, desparramarse, esparcirse, verterse, desaguarse, desembocarse, o también esas inundaciones que rebasan los límites, que te dejan en la isla. Poco imaginaba Yunuen todo lo que vendría. Por qué hablar de esto y no de lo demás, a saber. En fin, esa pieza también era un comentario sobre ser mujer. O ser mujer, *antes*. Tenía una onda erótica y vital, ¿queda algo fuera de su deseo? Ellas todas: unas bellezas. De nuevo, volver a la belleza. A la intención detrás de la obra, diría Yunuen.

Una vez las invitó a colaborar en una pieza. Cada una aceptó por razones distintas: Saratoga necesitaba dinero porque le iba mal con el dinero siempre y quería comprar un micrófono nuevo. Justo en esas épocas, Eugenia estaba trabajando en un laboratorio en el INAH con paga simbólica, y Diana, a la que mejor le iba con sus visiones y tatuajes por encargo, dijo sí para sanar la herida de alguna discusión con Yunuen. Entonces Yunuen propuso trabajar con periódico en la casa. Montañas, montones, columnas de papel periódico en la sala. Había arrumbado todos los muebles a un lado. La comuna taller. Primero a Diana, con sus obsesiones por la limpieza y el orden, casi le da algo de ver todo desacomodado. Después hasta empezó a disfrutar ese espacio que era como un claro en el bosque de muebles. Todas como niñas. Cada una hacía sus bolitas con agua, reciclando, reformando. Se veían las vetas y las juntas donde *La Jornada* se encontraba con el *Alarma!*, en ese entonces todavía se conseguían números viejos, y donde el *Reforma* y el *El Economista* se mezclaron. Cada periódico daba un tono distinto. En esa época Yunuen estaba enfocada en las piedras, las rocas y los minerales, las piedras de río. Así, tinas de plástico con agua y engrudo, música, el silencio de estar juntas, los dedos negros de tocar periódico. Manos moviéndose en una meditación colectiva. Por momentos las paredes de esta cueva se la recuerdan. En ese momento, las esculturas recién hechas se vendieron, así que además de pagarles a todas, Yunuen las invitó una semana a la playa para celebrar.

Fue durante ese viaje al mar que Eugenia conoció a Tadeo. Se enamoraron intensamente nueve meses. Como un embarazo. Luego, claro, no parió, sino más bien se separó. Pero después de que acabaron, por primera vez en mucho tiempo, se fue semanas y semanas. Las demás se preocuparon de perderla. Después de eso, por suerte, o por destino, como diría Diana, le ofrecieron el trabajo en Teotihuacán. Jamás pensaron que sería allí donde la perderían de verdad. Lo suyo fue uno de esos amores como de antes, que en un dos por tres se sienten infinitos. Y luego, si se acaban, se acaba todo. Saratoga se preocupaba de que Eugenia se perdiera como su madre. Yunuen le recordaba que ella no era nadie para opinar de las relaciones ajenas después de Francisco. Diana argumentaba que eso era imposible, que Eugenia era demasiado racional como para acabar como su madre. Y aunque Eugenia aceptó su nuevo trabajo en Teotihuacán para olvidarse un poco de Tadeo, en menos de un año se había convertido en su pasión. Así Eugenia.

Desde muy niña, Diana presentía lo que después viviría con la intensidad de un pararrayos en plena tormenta. Una vez, cuando tenía como ocho años, su madre y ella chocaron. El choque era como la puesta en escena de aquello que Diana había sentido con certeza minutos antes. Poco a poco, esos minutos de certidumbre anticipada se convertirían en horas y después en días, meses, años. Pero otras cosas permanecían tan invisibles para ella como para una persona cualquiera. En esa época Diana quería sentir que tenía poder, pero no lo tenía. Sentir. Algo. Cuchillos, agujas, metal sobre y dentro de la piel.

Qué tan poco poder tenían. Pero ahora aquí, bajo esta tierra queda el poder contar. Es un deber. Lo único que nos queda: estos testimonios. Sobrevivir. Llenarnos la boca de palabras ajenas. Así esta ofrenda que dejamos aquí, palabras túnel, palabras zurco, alas rotas.

Cuando el padre de Diana se suicidó, en su casa se volvieron impronunciables temas como la crisis económica o el precio del dólar. Su madre a veces le echaba la culpa a una y a veces a lo otro, mientras tallaba con enjundia alguna superficie y hablaba por teléfono con su hermana o con algún amigo del padre y pulía cada bucle de la espiral del cordón del teléfono. Cordones y teléfonos, otro siglo. Otro mundo. En esa época Diana solamente trataba de ser una niña buena y ayudar y estudiar y recoger sus juguetes, sobre todo cuando su madre se ponía a sacar toda la ropa, las camisas con sus aros amarillentos en las axilas, y sábanas y toallas y desdoblaba y planchaba y redoblaba, una y otra vez, una y otra vez. Los rituales de ese lugar extraño llamado luto, que ahora se entienden mejor. Como si eso pudiera hacer que el padre regresara de la oficina un día cualquiera. Así se imaginaba Diana que pensaba su mamá. No podía entender por qué haría algo tan inútil como eso si no fuera por la esperanza de que, como por encanto, gracias a esa acción, reviviría su padre. Pero no funciona así la magia. Y Diana no podía hacer nada.

La espada se agudiza. Es dorada. Se afila. Es dada, es forjada. Corta el aire. Es el aire mismo.

La verdad es que apenas Diana dejó de vivir con su madre en esa casita tan limpia que nunca dudó en comerse lo que se cayera al piso, en aquella casita tan limpia que a los bichos les daba miedo entrar y donde nunca se vio una araña ni una hormiga ni mucho menos una cucaracha, se dejó ir.

En un mar de sangre hay una concha pero no tiene nada dentro. No tiene perla ni bicho ni nada. Está limpia. Pero vacía.

El padre de Diana eligió suicidarse y ella nunca lo buscó en alguien más. Mientras que Eugenia en algún momento sí buscó a su padre. Sobre todo cuando su madre se le estaba yendo. Cosas que sí buscaba Diana: botellas con mensajes en las playas a las que la llevaba su mamá de vacaciones; teléfonos siempre olvidados en el fondo de alguna bolsa; personas que sepan de visiones; antes: la siguiente emoción fuerte que acallara la visión por un momento; después: hacer mejores preguntas. Buscar amigos y encontrarles. Diana siempre buscaba una manera de alegrar a su madre, y a Eugenia. También buscaba un libro que explicara las visiones, un grimorio. Esos libros existen en países lejanos o, las películas de fantasía, pero no en su realidad. Existen en la narración de las que ven visiones. Su cuerpo, su piel sería su grimorio entonces. De niñas, Eugenia y Diana jugaban a hacer listas de países a los que les gustaría viajar. Cada una escogía un país, se disfrazaban y hacían una obra con sábanas, tapetes y demás. A veces la madre de Diana era el público. A veces la abuela de Eugenia, a veces los peluches y muñecas. Diana siempre escogía Burkina Faso. Le encantaba el hecho de que en algún momento se hubiera llamado Alto Volta y que la capital tuviera el nombre de Uagadugú. Otro de sus tatuajes: el mapa de ese país lejano. Para cada show leían de aquella enciclopedia en casa de Eugenia y se enteraban de cosas que les parecían increíbles, como que el himno de Burkina Faso se llamara *Una sola noche*: era el himno de nuestra vida, bromearía más tarde con Eugenia, antes de que la mataran.

Un perro y una vela. Debajo de la pata del perro un libro de leyes de metal. Sellado. La visión helada. Como si fuera invierno.

Un hoyo que no era una ventana sino un acertijo. El ojo de una lagartija pero cerrado. Un huracán.

Dientes tirados, esparcidos, sembrados. Dientes-semilla, dientes-piedra, dientes-basura en un paisaje invisible. Los dientes buscaban lenguas. Pero en vez de eso encontraron un arco, pasaron y desaparecieron también. Todo se volvió invisible.

En una de esas idas, en una fiesta donde estaba Diana tan drogada que trataba de no diferenciar entre las visiones reales y las que le ocasionaba el aceite que se había metido unas horas antes, conoció a Patricia. Empezaron a bailar. Se dieron de besos, se arañaron los brazos. Con la música, aún más fuerte que las drogas, quién sabe cómo logró decirle que era bruja, como de broma. Y ella le dijo que necesitaba alguien que escribiera horóscopos para la revista que editaba. «Cuidado con lo que pides», le respondió, y le pasó las uñas por el brazo y se le puso la piel de gallina hasta en las piernas. Intercambiaron números y luego a seguir bailando cada una con sus amigos. A la mañana siguiente Diana todavía tenía su número trazado y borroso en el brazo. No usaba el celular más que para hablar con su mamá porque le daba dolor de cabeza. Quien busca a Diana siempre la encuentra.

Los padres de Saratoga quizás habrían estado orgullosos de sus exploraciones colectivas. Quizás vivieron algo así en algún momento. A saber. Le pusieron Saratoga por Nina Simone. Por esa canción tan triste. La favorita de Saratoga es más bien «Sinnerman». Ellos eran lo que en ese mundo de antes se conocía como jipis. La tuvieron cuando eran demasiado jóvenes y a sus hermanos, que los tuvieron casi 15 años después, les fue mejor: tuvieron papás, no como Saratoga, que más bien tuvo a un par de hermanos mayores valeverga. No vivían en la ciudad, no la toleraban según ellos, a menos de que fuera para ver una obra de teatro. Les gustaba su huitlacoche, pero en crepas, como quien dice. De niña, hubo unos meses que dejaron a Saratoga con sus abuelos porque se fueron a apoyar a un ejército guerrillero. Ella se sentía muy orgullosa de ellos y estaba feliz de quedarse con sus abuelos un tiempo. Pero sus padres no aguantaron la disciplina, no aguantaron no tomar, no drogarse, la selva, los calcetines mojados y húmedos pegados a las ampollas, y se regresaron. En la escuela Saratoga siguió diciendo que estaban en la selva varios meses más. Eso hubiera hecho yo, pensaba ella, aguantar. Pero luego tampoco está bueno aguantar. Aguantó tanto, demasiado, con Francisco (o Pancho, como le decían, en el nombre llevaba la penitencia). A Eugenia y Diana las conoció Saratoga un día en la prepa, cuando salió de su curso avanzado de ciencias. Estaban sentadas tomando vodka en thermos de superhéroes en la esquina del faje y la invitaron. Aunque el sueño de Saratoga en ese entonces era estudiar microbiología y tener un laboratorio propio, cuando acabó la carrera de Biología la vida la desvió hacia la música y luego a la comuna. ¿Y entonces? Buscaba ser y no hacer. Ella decía que era como buscar qué tanto se puede dejar de hacer sin dejar de ser completamente. En ese entonces dejó de cantar. Se quedó sin voz y lo peor: sin forma de recuperarla. Recuperarse. ¿Pero cómo? Igual así, contando hasta cantar.

Cuando le preguntaban a qué se dedicaba no le encontraba sentido a la pregunta y no le gustaba responder. Ahora ya nadie pregunta ¿Eres música? (¿Qué quiere decir eso?). ¿Practicas la ciencia? (¿A quién se le ocurre?). Saratoga aplicaba algo de lo que aprendió en la universidad y en cursos de herbolaria y medicina tradicional. Cosas básicas, y según ella su mayor contribución a la comuna era, además del pan multigrano casero que hacía su madre, el poder curar con algunas hierbas o medicinas cosas tan prosaicas como una infección de estómago o una gripa. Diana tenía visiones, Eugenia tenía un doctorado, pero Saratoga sí curaba, o bueno por lo menos eso les gustaba pensar. Aunque las tres gravitaban alrededor de Eugenia como si fuera donde se unen y se separan las alas del atractor de Lorenz, a veces parecía que Yunuen y Saratoga siempre eran las que se entendían mejor, hablaban de sus procesos, de los modelos musicales, de la colectivización o soledad del trabajo artístico. En busca de un modelo para la vida.

Eugenia de vez en cuando regresaba, tenía su casa en San Martín pero la comuna seguía siendo su hogar. A veces sin ella una u otra se sentía fuera de lugar. Eugenia era la piedra angular, su punto de fuga y quizás eso le pesaba. Yunuen, que ese año iba de residencia en residencia, extrañaba a sus dos familias. La de sangre y la *deadeveras*, como le decía a la comuna. Yunuen creció lejos del centro de la ciudad, y allá vivían sus padres en ese entonces todavía, en el conjunto que Yunuen y sus amigos de allá solían llamar el Cereso. Todos vivían en esas casitas idénticas y cuadradas, porque sus padres estaban en el ejército. Quizás de allí el ojo de Yunuen para la belleza en las cosas más inesperadas. A ella y a sus vecinos les llenaban la cabeza diario con anécdotas hiperbólicas de heroísmo y del terror del narco. Todos los vecinos cercanos tenían jefe y jefa. Tenían familias como manda Dios, como decía su jefa. Su padre era maquinista, nada muy interesante, pero igual a todos los enchufaban si se insubordinaban. Todos se higienizaban y hacían orden interno. Todos los padres iban y venían, quesque haciendo labor patriótica, salvando niños de inundaciones, ayudando a la gente en el terremoto —y cómo olvidar ese terremoto que pasó cuando la madre de Yunuen estaba tan embarazada de ella si se lo recordaban cada vez que pedía algo que no podían darle o no querían darle: igual un permiso que unos tenis. De adolescente más de una vez quiso Yunuen que volviera a temblar así la tierra para que se tragara su casa. No entendía ese mítico sacrificio de su padre. Cuando se le ocurría decirlo, le tocaba en respuesta una bofetada de la madre y enchufe. Luego vendrían más temblores y nunca más volvería nadie a desear que la tierra se mueva así.

Ahora la tierra nos resguarda, nos digiere en su vientre. Y aquí estamos, seguimos, desterradas en el entierro. ¿Cómo desentrañar lo sucedido en ese entonces ahora y desde acá? Adivinanzas, acertijos. Que nuestras palabras sean túnel. Que sean palabras surco, palabras galería, pasaje, corredor. Palabras gruta o mejor aún, palabras gusano. Aquí vamos a tientas, ¿nos sientes?

Además de unas que otras nalgadas, de su padre eventualmente Yunuen recibió un sentido político y de ética, pero enfocado hacia otro lado. Algunos de sus compas del Cereso acabaron de polis, en la Guardia o en la Marina, mientras que otros acabaron perdidos de pedos y chemos. Ella y todos sus vecinos, sus amigos y cuates estaban igual de desesperados por salir del Cereso y alocar. Los valores de esta familia... o Como dice el General tal o cual... fueron frases que se oyeron más veces que el himno nacional, que ya es decir misa. Así que cuando Yunuen encontró a Eugenia, o Eugenia a Yunuen y después conoció a Diana y Saratoga y se fue a vivir con ellas fue como que se aparecía el mítico haz de luz que baja de entre las nubes, con todo su coro angelical. Solo Diana y Eugenia vivían ya juntas en otro lado. Saratoga y Yunuen llegaron y entre todas se armó el departamento en República de Chile 43, arriba de Babel y la Bella Esposa, tiendas de quinceañeras y novias con sus aparadores llenos de tul y organdí de tonos pastel o brillantes según la temporada y el humor de las modistas. Y para Yunuen fue como que se abría un portal a otra dimensión: antes pasaba horas en el micro tratando de llegar puntual a las clases de arte en la Escuela Nacional de Artes Plásticas, que ya ni siquiera existe pero que en ese entonces quedaba allá por el reclusorio y la milpa, pero también cerca de los pollos de la panadería La Luna, que ya tampoco existen. Gran ubicación para una escuela de arte, pero le tomaba horas para ir o venir de su casa y de las fiestas ni se diga, y luego horas más de explicación por insubordinación en el hogar. La vida se hacía tediosa de trajín y de pronto todo cambió. El tiempo cambió. Dejaron de ser horas, claro pero no solo eso. Yunuen se armó de valor y le preguntó a uno de sus profesores de la escuela si podía ser su asistente. Un artista que sabía y podía imaginarse de dónde venía Yunuen y también a dónde quería ir: de donde él venía y a donde él había llegado. La contrató. Yunuen no dejaba de sentir un deber con su familia, ya luego con sus dos familias. Cuando empezó a exponer, le daba lana a sus padres todos los meses. Se veían una vez al mes para comer el mole de olla de su madre. Y si no estaba en México se veían cuando regresaba, con regalos para todos: un brasier de copas extra grandes para que no le dolieran los hombros a la madre, algún recuerdo para su padre de su equipo favorito de beisbol o futbol americano, los Angels de Anaheim y los Raiders, respectivamente, tenis o sudaderas o discos para su hermano, para alentarlo a seguir por el camino desviado. Y le empezó a ir bien, poco a poco, con la ayuda de las amigas que se volvieron hermanas, y de su profesor y de sus colegas, gente como Diego y Gabriel, que se fueron sumando a la comunidad de la comuna. Y aunque todo eso ya no existe, esa palabra todavía importa, comunidad, unidad, lo común. Belleza. Y pensar que todo empezó gracias a las fiestas y a Eugenia. Así llegó Yunuen, y sin Eugenia, sin ese azar que nos juntó, todo se hubiera tardado más en llegar. Difícil de creer lo que unos ritmos alocados, maquinales y necios podían lograr en los corazones de las personas, lo que lograron en las vidas de entonces.

La primera amiga de Diana fue Eugenia. Y su primer amigo fue José. Él y Eugenia fueron los primeros en entender lo que le pasaba a Diana. Eugenia era una niña muy espiritual, nada crepuscular. O al menos no en un principio. Tal vez muy pocas lo eran, pero fueron cambiando, cada quien por razones distintas, circunstancias, naturaleza, genética, destino. Ya Diana luego conoció a Yunuen y a Saratoga. Lo que no cambiaba era su amistad, evolucionaba junto con ellas y así la familia seguía. Hubo veces que además de Eugenia, Yunuen y Saratoga, Diana vivía con varias personas más durante semanas, con algunas hasta meses, en el mismo departamento. Compartiendo tazas de café frío, pizzas a medianoche, películas piratas, el zumbido de la máquina de tatuar de Diana como ruido de fondo y horas de música e historias personales. Esa época fue la más divertida, la más crepuscular, lo más cercano a experiencias que ni Diana ni Eugenia tuvieron de niñas, como vivir en familia o ir de campamento. Pero a Diana la violencia de las visiones la acechaba. A veces Eugenia o Saratoga, o Eugenia y Saratoga, y Yunuen cuando estaba, iban y dormían con ella. Tenía una buena cobija y le obsesionaba que las sábanas estuvieran limpias. El departamento era un desmadre, y había polvo, pero sus sábanas estaban siempre lavadas. Era como si por allí se asomara su madre. Por eso a las demás les gustaba tanto dormir con ella. Pero también porque a veces gritaba. O gemía. Y entonces se metía una u otra u otra o todas debajo del edredón y la apretaban y abrazaban hasta que la visión acababa y las dos o tres o cuatro se dormían sin caer del colchón al piso, como contenidas por una red. O Diana platicaba lo que había visto y la escuchaban con atención, como si fueran a descifrar el significado, Eugenia siempre tan arqueóloga. Saratoga les hacía té de buganvilia con inmunoestimulantes de última generación cuando estaban enfermas, y Yunuen compartía de su marihuana medicinal. Cuántas veces se echaron Diana y Eugenia en esa cama a ver las sombras del techo, como cuando eran niñas y se recostaban en el jardín a ver las nubes y adivinar qué forma tenían, o de adolescentes en la playa obsesionadas viendo la puesta de sol esperando que llegara el mítico rayo verde.

Si alguna vez se sintieron solas nunca estaban solas, eran cuatro y también, además de José, venía a vivir Patricia, la editora, alternando las semanas que no tenía ni casa ni hijo porque iba su ex. Algunas personas que iban a rayarse con Diana se quedaban para más que eso, a veces no salían dos días de su cuarto. A veces sí y se quedaban varios días más para salir de allí más decorados que el techo de la catedral de Santo Domingo. A veces se quedaba Rami, la amigovia de Yunuen. Todas la llamaban amigovia porque las dos decían haber renunciado al amor romántico pero a veces eran más cursis que un meme de piolín con rosas rojas. Ya luego Rami se quedaría más y más y traería a otras, pero eso sería hasta después. En ese entonces también allí habían vivido los inseparables Diego y Gabriel, su apodo en la comuna era D&G, la broma iba de Dolce y Gabbana, Doom y Gloom, Donald y Goofy, a Deleuze y Guattari dependiendo del humor. Diego, con su cicatriz que le ocupaba media frente, y Gabriel, que era el más introvertido, trabajaban juntos como duo de artistas. Tenían exposiciones en Nueva York, en Sao Paulo, Londres y durante una cena aburridísima en casa de un coleccionista se habían encontrado con Yunuen, quien había hecho algún comentario irónico que solo ellos habían captado, cruzaron miradas y trabaron amistad con ella y por lo mismo, poco después, con todas. Cuando vivían en la comuna traían toda clase de recuerdos inútiles de Corea o Berlín, como muñequitos a los que les das cuerda y avanzan brincando en sus dos pies para hacer carreras y apuestas, o dulces con ingredientes ilegibles que nadie se comía porque sus envolturas eran más bonitas que un vestido de fiesta de los de la planta baja del edificio. Así también de efímera y bella su amistad: después del peor día, y cuando empezó todo lo demás, Diego y Gabriel se irían a vivir a Brasil y luego la comunicación por mensaje se volvería cada vez más difícil. En ese entonces, radiaban personas que iban y venían, amantes que pasaban algunas noches o semanas, hacían desayunos y luego desaparecían, de vuelta en el mundo como el sol, sin su rayo verde, en el agua.

Así fue como todas se dejaron ir después de salir de casa de sus familias de sangre. Se dejaron ir y venir. Pero nunca más se dejaron. Ese era uno de sus pactos silenciosos. No soltarse.

Hasta ahora. Ahora somos las siempre-vivas, las devoradoras de palabras, y estos son nuestros hilos de baba, nuestros filos, nuestra lava vuelta obsidiana.

[descripción de objetos contenidos en una caja de plástico sellada junto con las hojas de un cuaderno de «visiones», los «apuntes de la comuna» y páginas del «diario de Eugenia» encontrados en la gruta A túnel 5]

Una (1) foto impresa a color aunada por un clip de metal oxidado

Un (1) recorte de un periódico en blanco y negro

Una piedra, roca, arrecife, pedregón, peñasco mineral gris (aunque no es la foto en blanco y negro, acá también hay ausencia de color, ¿cómo vemos entonces que no es una foto en blanco y negro?).

Peñasco también es la parte interna del oído.

No tenemos forma de conocer sus dimensiones reales a partir de la fotografía.

¿Bezoar?

La muela también es una piedra.

¿Peso?

Volumen.

Cuando el audio que se graba sube y baja hace unas formas que parecen montañas.

Picos.

Mil cumbres.

Esto tiene volumen, visible por el contraste entre las sombras y la luz en la superficie.
Utilería. ¿Uso?
Presión tectónica levanta.
Subida.
Escalas.
¿Fuerza?

El recorte de periódico es de una pintura famosa: luces, sombras y condensación de tinta que le dan forma a un horizonte de piedra.
Piedra y niebla.
(Caspar David Friedrich)
¿Será?
Dice.

Diez (10) eslabones

De cadena de plata chapada en oro (de 18k). Eslabones planos en diseño tipo Figaro de 10 mm de ancho. El patrón consta de tres eslabones cortos y uno largo, en este caso hay tres cortos, uno largo seguido de tres cortos, uno largo y luego dos cortos. Los dos eslabones de las extremidades presentan una apertura: ¿La cadena fue forzada, arrancada o se venció con el tiempo? ¿Era parte de una pulsera? ¿De un collar?

Se dice que los egipcios fueron quienes empezaron a usar cadenas para adornarse y como amuletos de la buena suerte, y también se dice que en la India se popularizó el uso de las pulseras conocidas en castellano con el extraño nombre de esclavas y que se podían portar máximo dos: la del primer marido, y en caso de enviudar, la del segundo. Como símbolo de fidelidad. Se dice.

Un (1) caracol (*Oliva Porphyria*)

Con patrones en forma de montañas color café en la concha. También sobre la concha: unos ojitos (de plástico, se mueven) pegados. El caracol se encuentra adherido a una base de madera delgada donde se ha pirograbado Mazunte, OAX en letras cursivas.

Lo que queda de esa comuna ahora vive en este coro de voces. En estas palabras como rastros. Las que rascamos, las carroñeras, somos varios cuerpos detrás de esta voz única en plural. Huellas. Sangre en las arterias. Somos la mano de la memoria que aprieta el corazón, ese peso que cae sobre tus pies cuando duermes. Somos voz de cerillos encendidos, somos aliento de llama y conflagración. Somos este hilito que apenas puedes sentir y te lleva en la niebla.

¿De qué carajo servía tener visiones si no se podía prever esto? Vivir una junto a la otra y Diana no lo pudo ver. ¿Qué catarata del más allá lo evitó? Asesinaron a Eugenia, y, ¿nada? Ni un flashazo, ni una premonición. Ella: amiga, cómplice, compañera de hogar y hermana. Diana: pura estupidez muda, ciega. De tanto rayar, tachada. Diana se odió a sí misma como pocas veces. Un odio que trataba de opacar el dolor. Pero ese dolor no se deja opacar por nada. Por suerte. Ese dolor como la única forma de resistencia posible en ese momento.

¿Qué hacemos, Diana?, preguntaba una y otra vez Saratoga, entre lloridos, paseándose entre la recámara de Diana y la suya.

Abrazos entre cuartos.

Marcaron esa mañana desde la oficina del Instituto de Arqueología donde trabajaba Eugenia para decir que la habían encontrado muerta en Teotihuacán. Diana era el contacto de emergencia, su familia más cercana.

Lo que no dijeron en ese momento —y lo que Diana no había podido ver por adelantado— es que había sido asesinada.

El árbol con ramas que crecen hacia abajo, o las raíces que crecen hacia arriba. El árbol es la simetría del arriba y el abajo. Crece al mismo tiempo para arriba y para abajo. Y siento una rama que es una raíz, una raíz que es una rama, me araña el corazón, me hace una herida que atraviesa el cuerpo. Es herida de vida. Es herida de muerte.

No sabe. Sentir ese ardor. Un dolor que le hace saber que está viva.

Ahora somos árboles en un incendio forestal. Dolor sin lectura.

Tú vas subiendo por aquí, por estas palabras ramas de nuestro corazón. Y conforme vas avanzando las ramas se rompen una tras otra, una tras otra.

Su glándula adrenal estaba secretando hormonas. Había entrado en reacción de lucha o huida, y definitivamente estaba petrificada. Nada de lucha. No en ese momento.

No todavía. Saratoga prendía cigarro tras cigarro hasta que le ardieron los dedos y los pulmones. Yunuen era la única persona a quien debía llamar y no la llamaba. Como si en el no llamarle, la noticia perdiera su materia, su cuerpo. Como si fuera un rumor. Humo de cigarro. Imbéciles petrificadas. Saratoga, que siempre encontraba respuesta en la música, no prendió la bocina, no puso ninguna de las canciones de Eugenia, «Qué risueña y cuán etérea... y me quedo yo sin ella...», dice «La prietita clara». Imposible escuchar algo así en ese momento. «Saratoga, tu vida es un musical», se burlaba Eugenia cuando todo lo acompañaba con alguna rola.

¿Qué quiere decir velar? Eugenia hubiera tenido una respuesta histórico-antropológica. Pero ellas sin ella ya no. Velar es cuidar a alguien. Y no habían podido cuidar a Eugenia. Eran sus hermanas y de qué habían servido. Una lejos, la otra perdida en los poros de su propia dermis y otra, con su no-hacer, nadie había puesto atención en qué hacía o deshacía Eugenia, con las manos siempre en la tierra. La embarraron.

Al fin Saratoga prendió el estéreo y en seguida lo apagó tan bruscamente que tiró la bocina al piso.

¿Qué hacemos? No podía dejar de repetir la misma estúpida pregunta. Lo único que le venía a la mente era hacer algo, pero, ¿qué? Revisó sus cuadernos de visiones a ver si en alguna lograba descifrar algo. Y mientras: nadie llamaba a Yunuen. Vivían juntas en ese departamento con moho desde hace más de cinco años. «Departamento húmedo, cálido cantón» decía de broma como si se tratara de manos frías corazón caliente. Había unas pocas reglas, que estaban en el refri escritas en un papel que se había puesto arrugado y amarillento, sepultado detrás de menús de entrega a domicilio, fotos de las cuatro en vacaciones, y recortes de recetas. No hacía falta declararse comuna para que fuera tal. Las cuatro en sincronía menstrual, al pendiente de quién iba a dónde y a qué hora, mejor que si la pinche tira. Durante más de un año Saratoga hasta logró sesiones cotidianas para hablar y hacer ejercicio. Diana hasta dejó de cortarse.

Pero de las cuatro ahora solo dos. La mitad. Comuna cortada. Como una cortada.

Ya después la comuna crecería. Pero eso después. Ese día ni Diana ni Saratoga sabían cómo seguir. Diana se sintió el pececito nadando junto a la ballena. El dolor tan grande y ella tan diminuta.

«¿Y el número de la residencia?», preguntaba Diana al aire mirando los recortes y recados pegados en el refri con imanes distintos, la mayoría regalos de algún viaje de Diego y Gabriel o de Yunuen.

Yunuen estaba en Canadá en las montañas haciendo una residencia. Ninguna de las dos quería ser quien le llamara.

Llamar era aceptar. Finalmente fue Diana la que hizo un intento al celular pero la grabación anunciaba que se encontraba fuera del área de servicio. Había que llamar a la residencia. Y a la mamá, ¿quién le diría? ¿Y al inexistente papá?

Así siguió el Peor Día. Empezó a llover. De esas lluvias torrenciales que recuerdan que esta ciudad alguna vez fue lago. Saratoga encontró un periódico de tres días antes, arrugado y con tres aros de café en distintas secciones y lo releyó. Iban montadas en un tren directito y sin escalas a la verga y Saratoga se sentía lenta, lenta sin poder bajar. Las demás son más veloces procesando emociones. Si le pones ecuaciones ella las resuelve y en el aire las compone, pero un problema del corazón, allí sí tarda semanas y meses. Volvió a sonar el teléfono de Diana. Saratoga sintió pánico. Como si algo pudiera estar peor que la muerte. Y sí: hay cosas peores. La segunda llamada, esta vez de Paolo el arqueólogo colega de Eugenia, anunció que no había sido una muerte accidental: Eugenia había sido asesinada. La habían encontrado muerta, doblemente muerta por herida de bala y por la caída, y con sus adoradas herramientas regadas como si fueran parte de la ofrenda que estaba desenterrando con tanta pasión.

Saratoga cerró diez veces el pestillo de la puerta. Revisó la cerradura otras tantas. Bajó por otra cajetilla. Subió, revisó la puerta otra vez. Lo único que podía hacer en ese momento. Entre pánico, lágrimas, humo y mirar a la pared sin mirar nada, como en un intento del nervio óptico de hacer que Eugenia se apareciera de nuevo. Sin poder llamarle a Yunuen. Sin atreverse. Decirle era declarar definitivamente que Eugenia fue asesinada. Era la llamada que había que hacer; era la llamada que no se podía hacer.

Berto (ensayo tu nombre, ¿cómo te dirán de cariño?):

¿Qué es un espejo? ¿Los hijos son los reflejos de los padres? ¿O los padres de los hijos? ¿Y qué si el espejo se rompe? No puedo imaginarme qué sentiría al verte moviendo la mano de tal o cual forma, como yo cuando me emociono y gesticulo, mis amigas dicen que parece que con giros y vueltas de las manos voy abriendo puertas conforme avanzo en mi pensamiento. O al notar que en realidad desgastas más las esquinas exteriores de los talones de las suelas de tus zapatos, como yo. Querría decir que la genética es espejo. La que sabe más de genética es Saratoga. Cosas que yo tampoco sé: ¿me darían ganas de golpearte? Al escribirlo aquí, sí. Pero tal vez me soltaría a llorar y te abrazaría, en reconocimiento total de mí misma.

Te soñé. Soñé que estabas enfermo y que tu enfermedad me manchaba. Era como un pegoste que se extendía de ti hacia mí. Qué asco. ¿Es esa tu herencia?

Hace tiempo que no voy a visitar a mi mamá. Bueno, a Clío porque ya no sé si llamarla mamá. Y como no voy yo, no hay nadie que vaya. Me hubiera gustado tener una tía o tío, tener a alguien. Bueno, tengo a Diana, Saratoga y Yunuen, pero para esto sí me siento muy sola. Si no fuera porque su seguro hace un débito automático de la cuenta que dejó mi abuela para eso y paga sus cuidados, no sé que sería de ella. Ni de mí. ¿Y cuando se acabe ese dinero? No quiero ni imaginar, esas son las cosas que me dan insomnio, que me aprietan los pulmones y por eso abro mi cajita de pastillas. Mañana llamo a ver cómo está.

La abandonaste, ella me abandonó y ahora yo la abandoné. Tengo que ir pronto. Me da mucha culpa no ir, luego me doy cuenta que ha pasado tanto tiempo desde que fui a verla la última vez que me da más culpa ir y entonces no voy. Es un ciclo inexplicable que lleva a la ausencia. Y ahora que lo escribo me pregunto si eso te pasó a ti, si algún día pensaste en volver y la culpa de haberte ido te lo prevenía. Al final me doy cuenta, no sin horror, de que sí nos parecemos.

En el túnel encontramos una serie de pelotitas reflejantes dentro de dos cámaras recubiertas de una mezcla de polvo de magnetiza, pirita y hematita. Ya te había descrito cómo brillan esas constelaciones. Las pelotitas están oxidadas y por eso ya no brillan, pero son de pirita, así que hace mil años brillaban cientos de pelotillas allí, ¿cientos de planetas en la galaxia reflejando la luz de sus estrellas? Espejitos circulares.

¿Las visiones del cosmos de los teotihuacanos? No tan alejadas de los reflejos que nos arroja el Hubble.

¿Te puedes imaginar lo que se siente tocar, así sea con las puntas de los dedos, estos objetos? Uso guantes, pero ayer en la madrugada cuando todavía no llegaba nadie más me los quité. Me lavé las manos, me las sequé a la perfección (había metido en mi mochila unos trapitos y alcohol para hacer todo esto). Cuando se evaporó el alcohol, pero antes de que mis manos empezaran a secretar sus propios aceites y sudor, toqué una de esas pelotitas. La pirita seguía rasposa después de tantos siglos. Admiro tanto estos objetos que resisten.

Hace un par de semanas nuestro robot Tláloc II encontró mercurio líquido. Desde ya, varios expertos especulan si el hallazgo significa que allí está enterrado algún gran personaje, otros proponen que simboliza un río del inframundo al estilo río Styx. Mercurio es espejo líquido. ¿Y si lo usaban como espejo del futuro? ¿Del pasado? ¿Para envenenarse con sus propios reflejos? Tal vez esa es la mancha que se extiende de ti hacia mí y me embarra, me enferma. Tu reflejo: una enfermedad genética.

Una conexión en los cuerpos más allá de tu ausencia. Me acuerdo que de niña mi abuela me dejaba romper termómetros para jugar con las pelotillas de mercurio. Juntarlas, desagregarlas, perseguirlas mientras se iban resbalando como mini personajes que corren por todos lados. Qué risa. En inglés el mercurio también se llama *quicksilver* o plata veloz. Demasiado veloz para guardarla entre mis manos. Me pregunto qué tanto de ese mercurio se me metió en la sangre, en el cerebro. Ay, mi abuela con las manos manchadas por la edad, tan buena para divertirnos, sin conocer las consecuencias.

Hace un par de años comí hongos y vinieron a platicarme unas esferas de superficie brillante y variable justo como de mercurio. Daban vueltas y vueltas, de una se separaban dos, de dos, cuatro, giraban y en su girar hacían una música que me estaba comunicando mensajes del universo, de nuestra tierra, de mí misma, que no sabía que sabía. Me llevaron a caminar al bosque. Me mostraron la luz que irradian las plantas, su medicina. Me dijeron que todo estaba en orden. Si se supone que las alucinaciones son el reflejo de nuestra conciencia, ¿qué clase de espejo era ese?

En una de esas conversaciones intensas con Yunuen hablábamos de la física de la observación, de cómo al observar un fenómeno o una situación, nuestra observación forzosamente la altera. Esto es válido para el arte pero, aunque los más científicos de entre nosotros lo nieguen, también lo es para lo que hacemos acá. Como quien dice, el acto de conocer es constitutivo del conocimiento. Todos los días me pongo el ejercicio en la mente y en el corazón: cómo determinar el supuesto objeto de conocimiento como un sujeto. Una transformación.

Todo cambia. Así el mercurio de esas pelotitas en mi viaje. ¿Qué tanto estaba alterando mi conciencia eso que yo veía y qué tanto alteran los hongos a mi conciencia? ¿Quién observa a quién?

Qué estarían pensando los teotihuacanos al poner mercurio allí. Qué querrían reflejar, o a quién. En la mitología griega, Mercurio era el mensajero. ¿Qué nos transmite este metal líquido aquí? En todo caso, a partir de ahora tendremos que usar equipo de protección para no exponernos al mercurio. Yo siento que estoy curada en salud, como si mis juegos con la abuela me hubieran vacunado. No es que sea la mujer maravilla, pero el mercurio tampoco es criptonita. De todas maneras, es obligatorio portar el equipo de protección, pero me da mucho calor. Siempre tengo calor. Hasta cuando hace frío. Yunuen, Saratoga y Diana son unas friolentas. Siempre tienen los pies helados. De la comuna soy el calentador de camas. «Mi bolsita de agua caliente», me dice Diana. Será que tú eres de sangre caliente también. Cuando te fuiste mi mamá se moría de frío todas las noches, ¿Será que ese frío se le metió en la cabeza y en el corazón hasta que enloqueció? Nunca le pregunté ese tipo de cosas a ella. Ni a mi abuela. Nomás me queda preguntarte a «ti».

Si estuvieras aquí... Siento que se me clava algo en la garganta cuando escribo esas preguntas. Si estuvieras aquí me preguntarías qué le pasó a Tláloc I. Preguntarías por qué les ponemos nombre a nuestros robots-ayudantes. Preguntarías por qué hasta les dan crédito en los artículos: Gracias a Tláloc II se encontró tal y tal. Preguntarías si los robots son reflejos de nuestra conciencia. Si son nuestra conciencia manifestada en material, como nuestros cerebros sin cuerpo. Preguntarías si ellos mismos adquieren conciencia. Si nombrar es crear, ¿qué creamos con Tláloc II?, preguntarías, ¿un telescopio que mira hacia otro tiempo? Estas son las preguntas del futuro que mira al pasado, de una civilización que nos mira a nosotros mirando a los teotihuacanos. Un juego de espejos.

Si este diario es un reflejo de mis sentimientos-pensamientos, se está empañando. Mejor allí le paro.

Sin llamada. Sin posibilidad de oír nada más. Entonces: ensordecer. Diana no vio al gorrión. Ciega. Pasmada. Nadie más llamó. Quedó pendiente otra llamada con la oficina y los compañeros de Eugenia. Había que ir a reconocer el cuerpo. De todas maneras, Eugenia —ahora por fortuna— no tenía parientes. Técnicamente su madre existía, pero para efectos reales había dejado de existir cuando se internó en un psiquiátrico después de unos años de culparse y culpar a Eugenia de haber ahuyentado a su progenitor y dejó de ser su mamá. Dejó de ser. Su abuela, quien la crió, estaba muerta, afortunadamente, porque esta noticia la hubiera matado o mandado al psiquiátrico como a la madre. Y su padre, imposible dar con él. Cuando Diana era niña escuchaba a su madre hablar con una de sus tías sobre el papá de Eugenia: que si era un pillo, que si se había ido a Cancún a desarrollar unos conjuntos, que si lo buscaba Hacienda, que si andaba en Panamá con unos socios, que si trabajaba en una transnacional y regresaría un día millonario, que si lo habían matado a golpes afuera de un antro, así iban mutando las historias, que si lo habían visto en un restaurante en Playa del Carmen con una modelo, no, con una escort, que si lo habían visto ahogado de borracho y con días de no haberse bañado en el bar de un centro comercial de Eagle Pass. Los rumores nunca se los contó a Eugenia porque hubiera sido como traicionarla. La madre de Diana iba de vez en cuando a visitar a Clío al psiquiátrico. Cuando vecinas, se habían hecho fugazmente amigas, las dos madres solteras de la cuadra, la viuda del suicida y la que abandonaron. Afuera de la escuela las otras madres se alejaban, como si fueran a contagiarlas de desgracia. Diana jamás alentó a Eugenia a buscar al señor ese. Su lealtad, como la de su madre, era con Clío y con Eugenia. Era como si Eugenia fuera huérfana sin serlo del todo. Y ahora también Eugenia había dejado de ser por culpa de alguien más. Y mientras: las hermanas paralizadas. Una, con visiones pero ciega.

Destapar la vista, abrir los oídos: pensar con la piel.

Lo que no se supo sino hasta la segunda llamada fue que esa mañana habían encontrado a Eugenia en un charco de sangre en su excavación: un hoyo que se convertía en un largo túnel bajo tierra. Arriba estaba montado todo un tinglado para proteger la entrada de la excavación de la lluvia, el viento y la vista de los curiosos. Luego escaleras. Luego túnel. Eugenia, siempre tan cuidadosa en todo, se había descuidado ella misma. La habían encontrado en el lodo al fondo de la bajada al túnel. Además de los balazos, o *por* el impacto de los balazos, había caído de espaldas y en los 14 metros de caída, increíblemente, por el lodo, o por falta de movimiento o por ambos factores, no se había fracturado nada. Una de esas cosas extrañas. También pudo haber sido porque ya estaba muerta. Saratoga solo pensaba, como una plegaria sin posible respuesta: Que no haya sufrido, por favor. Pero no sabía ni cómo imaginar lo que había sucedido para que acabara así, ni tampoco Diana encontraba una visión. Cerca de la mano izquierda, torcida, cayó su pala. Esto importaba porque, como después armaron su propio expediente paralelo gracias a Rami, la novia de Yunuen, y junto con otras mujeres y amigas que se volvían médicos forenses y peritos por necesidad, tal vez había tratado de defenderse. Seguramente antes que protegerse a ella estaba tratando de proteger su excavación. Lo más lógico es que fuera un intruso que iba a saquear la ofrenda. La sangre de Eugenia revuelta con el lodo manchaba los huesos y fragmentos de ollas que quizás contenían a su vez sangre seca de hace cientos y cientos de años. No podía dejar de pensar en que se había vuelto parte de su ofrenda. Quizás era la mejor manera de consolarse: sentir que había algo, *algo*, algo más allá del horror en todo esto. En la fotografía del Ministerio Púublico que después se robó Yunuen se le veía bocarriba. La cara de lado pero en un ángulo extraño. Los brazos arriba. Podría haber sido cualquiera, pero era Eugenia. Al final de su trenza se veía el mechón de pelo decolorado, apenas teñido de rosa. Un par de semanas antes, Saratoga le había teñido de rosa mexicano las puntas del largo pelo chino y café, como la misma tierra manchada de sangre que se veía como un halo oscuro a su alrededor. Saratoga pensó que le hubiera gustado saber más de su proyecto. Saber más. Quizás así sabría qué le pasó esa noche. O por qué le pasó. Lo que sí se sabe —o eso les decía Paolo por el altavoz del teléfono de Diana— es que cerca de la bajada al túnel encontraron pisadas que por tamaño, forma y profundidad identificaban como las de un hombre. Botas, al parecer. No tenían muchas más pistas. Tampoco era seguro que esas pisadas ocurrieran al momento de la muerte o antes. Mientras Paolo hablaba, Saratoga no podía dejar de retorcer el mechón azul de su fleco con la punta de dos dedos y metérselo a la boca. Como si eso fuera a revelar la verdad. Como un ritual físico para ahuyentarlo todo. Un conjuro. Pero la única que sabía algo de eso era Diana, Saratoga, nada. Hacía años que no tenía ese tic; desde que era niña y lo hacía en momentos de preocupación. Y volvió el gesto tan fácil como si lo hubiera hecho sin parar desde hace quince años.

También fumó hasta la náusea. Después de esa segunda llamada, Saratoga sintió como si la casa hubiera dejado de ser hogar. Puso el picaporte que nunca se usaba. Algo irracional la hacía sentir que podían venir. Eugenia primero y luego todas. ¿Pero quién? Se había apoderado de la casa un horror. Una maldición. Algo filoso.

Por aquí debe estar la foto que Yunuen se robó del expediente. Antes de que desaparecieran los expedientes. En la foto: además de una pala y una cubeta, desperdigados entre otros objetos lodosos y con etiquetas por todos lados, estaba una bolsa rota con sus cucharillas y las brochas que le habíamos regalado entre todas a Eugenia el año anterior. Se había desgarrado en el impacto. 14 metros. Entre esos objetos etiquetados, habían otros numeritos, eran de los peritos de la Policía Municipal de Teotihuacán o de la PGJEM, a saber. Señalaban evidencia. Entonces su excavación se había vuelto como un doble sitio. El segundo sitio una afronta, no una ofrenda. Con una mano,

Eugenia parecía que se detenía la muñeca de la otra mano, donde tenía la pulsera que nunca se quitaba. Parecía el tipo de gesto que haría alguien cuando está dormida. Pero así quedó su cuerpo. Las piernas en ángulos raros. Su chamarra verde, como de bombardero, estaba agujereada en dos lugares. Las heridas de bala como boquitas gritando. Pero no decían nada.

Yunuen no podía salir de allí. De esa foto que se la tragaba. Excavar sentido entre los pixeles. Hubo momentos en los que se sumergió en la observación de esa foto buscando alguna clave, alguna pista. La miraba hasta que se volvía algo abstracto, desfigurado, hasta que perdía la noción del espacio contenido allí, y también de su acción. La acción de la muerte. Se volvía la fotografía imposible de un hoyo negro vuelta posible: esa foto devoraba. Hasta que todo su cuerpo se quedaba absorto, inmóvil, organismo en cámara lenta, hasta sentir cómo esa muerte lograba desangrarse hasta la vida.

Quizás estamos ahora mismo dentro de ella. Nuestras palabras son los surcos llenos de sangre que salen. Rastro.

Como Yunuen estaba fuera, lejos, cuando llamaron a avisar del asesinato de Eugenia, las fotos la acercaron. Ya dobladas y jodidas, esas fotos que no deberían existir y sin embargo allí estaban. Se las robaría.

También: recortes de la nota roja. Esos los guardó para quemarlos un día. Salieron más rápido que los reportes del ministerio. «¡Ofrenda sangrienta!». «¡Sangre en Teotihuacán!». Las fotos de esos artículos se empeñaban en mostrar que era una mujer. Se veía uno de los brazos de Eugenia asomándose por debajo de la sábana manchada de sangre, se veían unos mechones de pelo, las puntas chinas y teñidas, se veía su muñeca de huesitos finitos, con el tatuaje igual al de Yunuen, Saratoga y Diana de la llave de la comuna, sus dos anillos, y las uñas pintadas de barniz morado y descarapelado. El otro lado, el de la pulsera, no se veía. Afortunadamente, no se notaba la posición contra natura de su cuerpo. En otra se veían sus piernas. Como si el fotógrafo hubiera puesto la cámara en el piso y desde allí, como si estuviera también tirado en el piso, o muerto también, desde abajo, la mirara, le mirara las piernas. En primer plano, las suelas, llenas de tierra y lodo seco, luego más arriba, manchas de sangre en su pantalón, luego esas piernas que se estiraban hasta la oscuridad. La sábana enmarcaba la parte de arriba como un cielo caído encima de las curvas de sus nalgas. Esa es la que daba más asco y más terror al mismo tiempo. ¿Qué era esa mirada? ¿De quién?

Además de la reacción de lucha y huida, muy del macho, biólogas y sobre todo psicólogas especializadas en la evolución han encontrado que entre las hembras de ciertas especies de primates, humanas incluidas, existe otra reacción ante el estrés y el peligro, que en inglés se llama *tend and befriend* o cuidar y amistar. Es decir, tender vínculos y generar afiliaciones, cuidar, procurar, cooperar. Una posible explicación de por qué les gustaba tanto estar allí todas juntas durante tantos años.

De por qué estamos aquí, resguardadas, bajo tierra, recordando todo esto. Tender. Rastrear. Cuidar.

Pero ese día, el Peor Día. El momento más doloroso lo vivía cada una por separado. Saratoga decidió salir de casa para estar sola, pero con una soledad menos opresiva que la que sentía en ese momento junto a Diana. Ese sentimiento de comunidad se rompió.

Caminó hasta metro Allende. Dejó caer esos pensamientos mientras dejaba caer algunas monedas en el sombrero arrugado del viejo que siempre esperaba en los escalones junto a la entrada más cercana a la comuna. Apenas bajó los escalones, sus ánimos se calmaron en la comunión subterránea. A esa hora, había muchas otras personas jóvenes deambulando por la estación. Muchas de ellas, como Saratoga, llevaban puestas camisetas usadas y jeans, tenis tan gastados que estaban amoldados con la forma de los dedos de los pies. Se acercó un trío que traía toda clase de piedras, amuletos y símbolos atados, ceñidos, mostrando su particular sentido de pertenencia. Una traía una A de anarquía, el pelo mitad morado, mitad rapado, y un pokémon adornando sus botas negras de plataforma de hule grueso. Otra traía un pasamontañas rosa fosforescente con bordados, solo se veían sus ojos maquillados con diamantina y perlas miniatura al lado del lagrimal. Otre más tenía en el cuello un inserto de ámbar tallado con dos turquesas enmarcándolo y un tatuaje de un corazón roto en medio de la frente, y Saratoga recordó a los guerreros mexicas que alguna vez, al parecer hace no tanto tiempo, deambulaban por la misma ciudad.

También pensó en Eugenia. En su ofrenda. En su andar como el de la chica de en medio, erguida con arrogancia sosegada. Un grupo cargaba mochilas impresas con nebulosas y galaxias, otras mochilas de plástico transparente, morrales de bordados tradicionales con hilos fluorescentes y libros que se asomaban tan variados como las caras y personalidades de las jóvenes, tan diferentes y casi complementarios como *El manifiesto comunista*, *Las flores del mal*, *El Popol Vuh*, *La parábola de la sembradora*, y por allí algún fanzine y panfletos fotocopiados. Algunas, aunque no todas, eran estudiantes; otras, como Saratoga, seguro habían terminado sus estudios por un sinfín de razones —obligaciones familiares, dinero, graduación, flojera, apatía, activismo, éxito, drogas, el reven, el fracaso... la vida. Eran otras versiones de ellas, versiones en las que Eugenia seguía viva. Y ese día había pancartas. Uñas multicolores como garras de animales de otro mundo. Había más y más jóvenes. Brazos con tatuajes de pelaje animal, de lianas y flores, envueltos en tentáculos de pulpos. Había un sentido de excitación. Saratoga no se subió al metro. Se quedó viendo. Un grupo más grande la llevó con ellos. Iban cantando consignas. Iba a pasar algo. Se estaban reuniendo. Pero se quedó fuera. No pudo conciliar esa actividad con la inmovilidad ante el dolor. Pensó en Yunuen. Sobre todo, pensó en Eugenia.

Había ido allí porque encontraba en el metro un espacio de caos acogedor, un espacio donde encontrarse en las caras anónimas y facciones distantes de otras personas y quizás algunas más bajaban los escalones y pagaban la tarifa solo para caminar y caminar y ver. Aunque no esa tarde. Caminaban con un propósito y razón. Saratoga fuera de razón, buscando olvido. Aunque si hubiera sido cualquier otro día, un día normal, hubiera caminado con elles. Pancartas, banderas, flores, pinturas. No era un carnaval, había una misión y se sentía. Eugenia no era la única joven que había muerto en estos últimos días en el país. Pero este sentimiento de que su muerte no fuera la única no la consoló, al contrario. Fue al metro en ese momento por esa comunión, porque ese siempre había sido su modo de irse a otro lado, y en ese momento le urgía estar en otro lado. Rodearse del ruido y los olores de otras personas. Se recargó contra la pared del andén. A lo lejos una chica tarareó una canción que siempre escuchaban en el coche de Eugenia, que tuvo un único CD atorado en el estéreo desde que lo compró y hasta que lo vendió. Saratoga ni tenía coche ni sabía manejar. Eugenia en algún momento fue la que tenía coche y la recogía, llevaba y traía. Luego vendió su cafetera, como le decía. Por suerte, porque Eugenia era como taxista en crack, pero igual se subían. Saratoga no podía contar las veces que dieron vueltas buscando alguna fiesta o nada más para escuchar música y dar un paseo con Daniel, Gabriel, José, Yunuen atrás empujándose, riendo, y Diana y Saratoga encimadas en el asiento de adelante con los huesos de una clavándose en el músculo de la otra y agarradas de donde pudieran, pero siguiendo la música con todo el cuerpo mientras Eugenia cantaba a todo volumen. A saber si volvería a sentir algo así de bruto y fácil y absoluto.

Como marinero perdido, Saratoga siguió a la chica de la canción y se subió en el estómago caliente de esa víbora subterránea. Era como si, dentro de sus entrañas gigantes en movimiento, ella misma pudiera moverse hacia la expiación de cualquier deuda que tenía con Eugenia, una traición que no podía evitar sentir aunque no la podía nombrar como tal. En ese momento Saratoga no sabía cómo hacer sentido de esos sentimientos, pero eso era: como si la traición de la que sobrevive y la intención de ese paseo aquella tarde, como una purga auto-impuesta, fuera la liberación. Pero no fue así. Regresó de camino a casa.

Mientras tanto, Diana se había encerrado en su cuarto. Con un dedo se repasaba las cicatrices que parecían fantasmas de gusanos y lombrices estiradas en su muslo. Tomó su cuchillo y empezó. Cerca de otras rayas cicatrizadas, encima de su tatuaje de la llave de la comuna, el que se habían hecho todas juntas, dejó hundirse el filo. Nada. Luego sangre. Otra vez al lado. Otra más. Otra. Se escurría la sangre en hilitos separados que se juntaban. Como su dolor saliendo un poco. Como veneno. Sentir algo. Se había cortado una E encima de la llave. No se molestó ni en limpiarse. Alivio microscópico. Pensó: Literalmente el cuerpo se acaba de hacer pequeñísimamente más liviano. Se sentó en la cama, manchando las sábanas, a revisar sus cuadernos de visiones página por página, decidida a encontrar una clave o llave para desentrañar la razón.

> *Círculos grandes y pequeños. Un mundo de geometría plana. Un mundo sin humanos ni animales pero animado. La matemática de las formas como vida. Bailes de círculos, círculos sobrepuestos a otros, diagramas de Venn que son un caleidoscopio, círculos y círculos hasta crear cuadrados. De pronto todos en uno. Queda un solo círculo denso del cual empiezan a brotar pelos. Cabellos. Largos. Salen y recubren el círculo, siguen creciendo sin parar. Se llena todo de un pelambre. Sofocación.*

Hubo un momento donde el silencio se hizo más profundo. Como todavía no volvía Saratoga, Diana en un impulso masoquista quiso asomarse al cuarto de Eugenia. Allí estaba su cama, sin sábanas porque se las había llevado a su hogar temporal, pero las almohadas todavía olían a ella. Se tiró de boca encima de la cama. Le hubiera gustado ahogarse en la almohada, pero en vez de eso gritó Eugenia a todo pulmón y solo la oyeron las plumas viejas. Dejó manchitas de sangre en la cama de Eugenia también. En una esquina estaba el escritorio. Eugenia había dejado varias hojas impresas regadas. Tenían notas y tachones en pluma azul pero no las leyó en ese momento. Había un ojo de dios huichol, había una foto de todas juntas en la playa, la volteó. Habían tres libros apilados, una edición amarillenta de *El México desconocido*, de Carl Lumholz, *La icononografía del poder en Teotihuacán*, de Linda Manzanilla, y de ese último se asomaba un marcapáginas que le había regalado Diana cuando regresó de un día de muertos en Oaxaca: la cabeza del alebrije salía alegre del libro como para burlarse de Diana, para decirle que era una pendeja. La puerta del clóset estaba mal cerrada. Se veían unas sandalias y unos huaraches apenas dibujados en la sombra, ropa, cinturones. Salió de espaldas y cerró la puerta despacio, como para no dejar huella de su presencia allí, más allá de la impresión sumida y deforme de su cara en la almohada.

Una mancha de moho. Negra. Humedad que va creciendo y creciendo hasta tragarme en su negrura. Y su negrura es un pozo. Un pozo de agua. No me ahogo, pero el agua me recubre. Estoy inmersa en el agua. El agua es un cuerpo rodeando el mío.

Diana vivía un desfase. Ya no podía adelantarse al futuro. Todo lo que leía en su cuaderno de visiones, en sus brazos, buscando claves posibles de lo que le había sucedido a Eugenia parecía un idioma de otro planeta. Se sentía como si hubieran dos realidades. Una en la que Eugenia no había dejado de existir, en la que en cualquier minuto entraría por la puerta con su trenza, su qué transa, sus botas embarradas de lodo; en la que llegarían Saratoga y Yunuen, también tal vez José y Daniel y Gabriel, y harían quesadillas bien tostadas en la cocina. Otra en la que empezó a sentir una inexplicable rabia en contra de Yunuen. La odió por no estar aquí, aliada en la tragedia. En El Peor Día. Si Yunuen se hubiera aparecido milagrosamente en su cuarto en ese momento, la hubiera golpeado. Por dejarlas solas y sin Eugenia. Por romper con el equilibrio. Por impotencia propia. La rabia del momento buscó dónde alojarse como un animal enjaulado que da vueltas y vueltas sin realmente encontrar descanso.

Después de las llamadas recibidas y las llamadas no hechas, después del desconsuelo ante lo que acababa de pasar tan solo unas horas antes, y de que Saratoga se había puesto a hacer cosas raras y estúpidas como esponjar los cojines, o salir a la estación de metro y de regreso, Diana sintió que le iba a explotar el pecho del coraje. Tenía anudada la panza a la garganta y la garganta a los ojos. Una nueva corporalidad apretada y dolorosa. Encerrada, pensaba en sus días anteriores, en las visiones. A revisar otra vez. Saratoga le decía que seguramente alguna clave en pluscuamperfecto recibió y que en ese momento Diana no la supo leer, pero no es como si se tratara de una musa que le dice secretos al oído. No es inspiración divina. Es otra cosa y lo que quedaba más que claro es que no dice todo. Y no lo dice claro ni directo.

> *Las burbujas se juntan, la espuma refleja la luz hasta volverse panal hasta volverse flor esponja hasta volverse coral palpitante. De sus orificios salen pequeñísimas esporas de luz, vida, polen, semilla, brillante, resplandece. De esos orificios salen tentáculos lentos, ya no es coral es planta que baila. Crece, se encoje, crece, lanza más polvo de vida. Todo es armonía.*

Diana se sentía la persona más inútil del mundo. Si no servía para anticipar algo así, ¿entonces para qué? Para un carajo. Hizo un acto de voluntad gigantesco por recordar, por entender, por conectarse y buscar información del allá para entender lo que acababa de suceder acá. Nada. *Niet*. Ni madres. Le dolió la cabeza. Se sentó quién sabe cuánto tiempo en su cama. Ni siquiera se acostó. Se quedó sentada, jorobada, allí en la orilla entre sábanas manchadas, gárgola inútil con palomas invisibles encima, pero sin gorrión. No quería abrazar a Saratoga que se asomaba de vez en cuando por la puerta. No quería que nadie la tocara. Quería entender y no podía. Quería llamarle a Yunuen y no podía. Cobarde. En ese momento no lo pensó así pero después supo que esa era la verdad. Lo único que logró concretamente ese día fue esa E cortada en la piel. Algo permanente. También llegar hasta el baño y cortarse el mechón de pelo morado que tenía en el lado izquierdo de la cabeza. Desde la raíz. Esa tarde de El Peor Día, cuando pegó el rayo del sol que entraba por el cubo de luz de edificio, después de la lluvia, se reflejó en el espejo del baño, Diana salió de su trance de ceguera. Azotó la puerta en la que estaba colgado el espejo molesto y se vio reflejada, tambaleante. Ver ese mechón fue, literalmente, verse aquella noche, ver a Eugenia. Y no. No pudo. Fue a la cocina y sacó las tijeras gigantes del cajón de los cuchillos. Saratoga, la pobre, no tuvo tiempo de decir ni pío cuando Diana ya se había encerrado de nuevo. Quedó con una mordida de burro en el pelo que en ese momento le pareció necesaria por su necedad. La misma necedad con que se obstinó en no llamar a Yunuen y que firmó, de cierta manera, el nacimiento de la verdadera comuna. Sin Eugenia se modificaba todo de una manera radical. No había ya ligereza crepuscular. Saratoga y Diana lo intuyeron sin ponerle palabras. Allí se cortó más que un mechón y la piel. Yunuen perdonaría la falta de llamada, o no. Diana nunca supo si llegaría a perdonarse: la vidente que no vio. La que sobrevive. La traidora en todos los sentidos. Tampoco llamaron a José, ni a Gabriel, ni a Daniel. Aunque para sus adentros ambas deseaban que alguien se apareciera y las consolara en su inutilidad pueril. Pero en El Peor Día no llegó nadie. Tenían llave y cualquiera hubiera podido ir a dormir. Esa era la dinámica, pero esa noche nadie fue a romper la parálisis en la que se adentraron Saratoga y Diana.

Donde toca agitarnos nos agotamos. ¿Escuchas caer el agua? Plicplicplic. Se escurre quien discurre. Nosotras ya no somos crepusculares, sino fuera del tiempo. ¿Pero cómo mantener los ojos abiertos? ¿Y cómo aprender a volver a ver?

[descripción de objetos contenidos en una caja de plástico sellada junto con las hojas de un cuaderno de «visiones», los «apuntes de la comuna» y páginas del «diario de Eugenia» encontrados en la gruta A túnel 5]

Tres (3) botellas pequeñas de vidrio color café
(aprox. 6 cm de alto x 1.5 de diam.)

De las cuales: dos con tapa, de plástico, negra, que se enrosca. Una sin tapa. Las tres vacías.

Contenidos posibles (hipótesis, a falta de pruebas para su confirmación).

¿Sustancias activas?

¿Chochos homeopáticos?

¿Medicina?

¿Aceite esencial?

¿O serán lagrimeros contemporáneos?

N.B.: dependiendo de qué tipo son, la composición de las lágrimas es ligeramente diferente: además de agua y sales, aceites y anticuerpos, algunas lágrimas contienen las hormonas de la prolactina, la hormona adrenocortitrópica (ACTH), y el neurotransmisor péptido opioide leucina encefalina, producidas por los cuerpos cuando están bajo presión emocional, cf. Dr William H. Frey II (también pueden aparecer variaciones no científicas pero sí artísticas, cf. Rose-Lynn Fisher, *La topografía de las lágrimas*).

Tres (3) ligas de elástico

Recubiertas por hilos de colores (blanco, rosa y rojo), sostenidas o tensadas por noventa y nueve (99) pasadores de pelo negro (prácticamente todos sin las puntas protectoras) en un patrón como versión analógica protocomputacional de una visualización digital de un libro de texto de teoría del caos.

¿Sujeto cibernético? ¿Máquina deseante? ¿Escultura?

Doce (12) fotografías en blanco y negro de tatuajes en brazos distintos de mujeres, algunas están levemente dañadas por la humedad y el tiempo, otras, pegadas y ennegrecidas por moho

El interior de una muñeca: Un corazón con una víbora y una daga atravesándolo. La víbora tiene detalle, tonos distintos de gris dejan entrever que era en tinas de color. El resto no.

Un hombro: Un copo de nieve en tinta clara sobre una piel oscura.

En una axila: Una vulva envuelta en llamas.

La parte superior de un brazo: El nombre Selena con las letras características de la firma de la cantante asesinada en 1995.

En todo el brazo: unos lunares unidos para crear la constelación de Aries.

La silueta de una hoja de rasuradora junto a una cicatriz keloide vertical larga en el antebrazo.

Un retrato realista del rostro de una mujer con pelo trenzado.

Dos fotos de un tatuaje de un abanico que se abre y se cierra conforme se juntan el braquiorradial y el bíceps de un brazo.

Dos bíceps, uno dice Rosa, el otro Luxemburgo.

Bob Esponja hace un arcoíris con sus manos en un tríceps.

Una casa miniatura en construcción en la muñeca. En la protuberancia del cubito hay un montón de ladrillos.

El interior de un antebrazo: tinta negra, tipografía Arial (creada en 1982 por Patricia Saunders y Robin Nicolas): *Todo lo que deseé fue todo.*

Escucha esta voz compartida, léenos como lees a esas perras negras que se vengan como pueden y te mordisquean desde debajo la mesa. Míranos, éstas, las gallinas pisadas, somos. Estas piedras como ojos ciegos encima de las tumbas, marcadores de lo que fue, avisos de lo que viene.

Mientras, la comuna busca: objetivo común pero descomunal: de quién es la culpa de que no se encuentre al culpable. ¿De quién la falta que falte una? La falla. Lo que se queda aquí en la tierra, lo que la desgarra.

Aquella mañana después del Peor Día, Yunuen despertó. Con las rocallosas de Canadá enfrente, lista para su ritual de desayunar dos panes tostados como piedras y a trabajar. Pero poco después, mientras mezclaba las nubes de leche en un té negro, alguien, otro residente, tocó a su puerta con insistencia: tienes una llamada urgente en la oficina. Se puso la chamarra de plumas encima del pijama, unas botas de goma forradas y bajó al edificio principal. Una llamada así era forzosamente de México. Pensó en su padre, que ya estaba en esa edad que preocupa. Algo dio una maroma en su estómago.

Al contestar escuchó las voces de Diana y Saratoga diciendo su nombre casi en simultáneo y después las dos se pusieron a llorar.

«¿Qué pasa?», les gritó para atravesar miles de kilómetros. La encargada de la oficina la miró sorprendida.

«Tienes que venir. Mataron a Eugenia».

No pudo responder ni preguntar, ni siquiera pudo pronunciar las preguntas que se estaban haciendo todas mil veces en la cabeza: «¿Quién?». «¿Por qué?». Solo dijo que tomaba el primer avión y colgó. Su estómago dio una vuelta y después sintió como si se le hubiera caído a los tobillos. En cambio en su cabeza Saratoga y Diana en bucle: «mataron a Eugenia». La encargada de la residencia ya ni le dijo nada al verla tan pálida. Yunuen metió lo que pudo en una maleta y se fue directo al aeropuerto a tomar el primer vuelo que saliera de allí. No podía dejar de pensar en todas las dudas que la perseguirían por semanas y semanas. Se mordía los dedos hasta que el dolor la hacía parar. No podía leer nada, ni ver las películas del avión, no pudo con las nubes y los juegos de luz, no durmió. Se sentó en un avión tras otro y cruzó dos fronteras como zombi. Después de tres escalas, y otro día más sin Eugenia, aterrizó en la ciudad. Le cuesta recordar cómo llegó a casa. Solamente recuerda que allí se gestó en su estómago un dolor romo de cuchillo oxidado que se afilaría con la angustia en las siguientes semanas y meses. Cuando abrió la puerta era tardísimo.

Lo que Yunuen sintió más raro fue entrar y ver todo igual. De cierta forma esperaba que de pronto se hubiera derrumbado el departamento como se derrumbaba la vida con la pérdida de su hermana. En cambio: la luz amarillenta y los cojines, unos cigarros en el cenicero. Todo igual. Era como tantas otras veces que regresaba de alguna exposición o viaje pero no, nada era igual ya. La puerta del cuarto de Eugenia entreabierta. Un plato lleno de cáscaras de semillas de girasol, su vicio. Eso fue lo que quebró a Yunuen: las cáscaras en el platito. Empezó a llorar. Se dobló en dos con el peso de su maleta. Saratoga y Diana la abrazaron, la levantaron y después le pasaron un caballito lleno de mezcal. Le quemó la garganta. Quemó el dolor en la panza. Y conforme se resbalaba el ardor del mezcal por su cuerpo era como si derritiera su piel de zombi hasta que volvió y entre brazos y olores tan familiares siguió llorando.

«Tenemos que comparecer mañana. Nos quieren hacer unas preguntas».

Saratoga estaba toda hinchada. Diana al revés, como chupada. Yunuen endurecida con el filo de piedra en la barriga. El dolor y sus efectos secundarios.

«¿Quién les dijo? ¿Cuándo les avisaron?».

Antes de poder preguntar los detalles, preguntó eso. Ninguna respondió. Miradas entrecruzadas. Más llanto. Diana veía a Yunuen, entre enojada y dolida. La abrazó.

«¿Qué sabemos?».

Poco. A repetir las llamadas. Se acabó la botella de mezcal. Se metieron Yunuen y Saratoga en la cama de Diana y se abrazaron.

«Jalamos parejo las tres. Todo juntas. Nos cuidamos. Cancelo todas mis exposiciones. Aquí nos quedamos», anunció Yunuen que, aunque era la de antes, ya nunca volvería a ser la misma.

Como respuesta, Saratoga la abrazó fuerte de la cintura, y Diana le apretó las manos y recostó su cachete encima. Estaba húmedo. Borrachas, durmieron un par de horas, pegadas con el sudor común.

Después de dos horas de transporte público, en contraflujo al tráfico, llegaron a una casa blanca con ventanas dibujadas en piedra volcánica donde queda el Ministerio Público de San Juan Teotihuacán. Una construcción modesta y parca. Las interrogaron por separado. Les preguntaron varias veces si Eugenia tenía novio, si alguien se había peleado con ella recientemente, que cómo no venía algún pariente, que si sabían detalles de sus actividades en contra de la mina, que si sabían que andaba con malas compañías, «gente que busca problemas», dijeron.

Había sido un balazo, «sí un balazo», «dos, pero un tiro fue el que la mató». Eso dijo un perito, luego otro completándole la frase, como para que entendieran mejor, o como con un dejo de morbo, para impresionar, asustar. Un tercer perito dijo que el atacante ¿atacante o asesino?, interrumpió Diana. El perito continuó como si nada, diciendo que se había acercado para poder darle ese primer tiro. Personal. Que eso quería decir, que Eugenia lo conocía. Algún colega celoso, algún amante despechado, alguna mala compañía. Que por lo pronto estaban investigando a algunos colegas y a ejidatarios y campesinos de los alrededores.

«¿Qué campesino tiene una pistola que usa ese tipo de balas?», preguntó Yunuen que, por su padre, sabía algo de armas. Y en voz más baja: «Son como de policía, ¿no?». Pero o no la oían o hacían como que no la oían.

Después de que hablaron con cada una llamaron a todas. Volvieron a preguntar si salía con alguien. «Crimen pasional», dijeron. Recalcaron que este crimen no era como el de «esos monstruos» que andan destazando mujeres. «Esos monstruos»: las palabras las dejaron calladas y perplejas. Como si hubiera que estar agradecidas con el asesino de Eugenia, que había sido cuidadoso. Los peritos volvieron al crimen de pasión.

«Eso no existe», les dijo Yunuen. En seguida se notó que les cayó mal. Entonces volvieron a explicaciones que en realidad —y pensándolo dos minutos— no venían al caso, pero en ese momento ninguna tenía la claridad de esos dos minutos y cualquier duda o interrupción de parte de cualquiera de las tres era guiada hábilmente por los agentes ministeriales de nuevo hacia la confusión. «Crimen pasional». Se atrevieron a usar ese término. Preguntaron si sabían que se quedaba a dormir seguido en el poblado de San Martín de las pirámides. Claro que sí, si trabajaba allí al lado diario y no se quería regresar todos los días hasta la ciudad. Volvieron a preguntarles juntas y por separado si tenía alguna relación con algún local, siempre con una insinuación sexual. Nunca preguntaron si tenía amigas en el pueblo. «¿Por qué tendría que ser sexual?», preguntó Saratoga. Tal vez alguien quería robar algo de la excavación. Era lo más lógico. La miraron como si hablara en otro idioma o como si fuera idiota. Mientras eso sucedía, en un movimiento más impulsivo que premeditado, y extremadamente veloz, Yunuen, la que nunca había robado nada pero había estudiado a su vecinos un sinfín de veces, se robó la foto que estaba hasta arriba del folder manila. Mientras tanto los peritos apuntaban algo en una libreta. Mujer. Muerte. Sangre. Sexual. Eso decían los gestos de sus manos, de su cuerpo, la forma en que las miraban a cada una, a sus cuerpos de mujeres allí sentadas pidiendo explicaciones. Pero en realidad todo eso no quería decir nada. Todo eso eran conjeturas. Murió asesinada. O como lo informaban ellos, tan burócratas, murió por las lesiones que le fueron inferidas. Nadie la vio, nadie la oyó, nadie la ayudó.

¿O sí?

Afuera de la oficina, en lo que esperaban unos papeles, empezó Diana en voz baja: «La dejaron tirada allí». Yunuen intentaba consolarla, consolarse: «Con sus herramientas y sus huesitos. Por lo menos no la movieron». Saratoga la interrumpió: «Murió sola. Como todos, pero más».

«No, murió rodeada de lo que más le gustaba, acompañada».

«Sin nosotras».

«Debajo y alrededor de su cuerpo, una de las ofrendas más importantes de la excavación, intacta».

«¿Cómo sabes?».

«Nos lo dijo Paolo, su compañero que llamó para decirnos que la habían encontrado. Dijo que tenían abajo unos cajones donde estaban etiquetando el jarrón de ofrenda tan importante, con todo y sus conchitas, su oro y las cuentas de jade, una máscara, huesos de jaguar, todo intacto (menos por la sangre de Eugenia). Primero no nos dijo que la habían matado. Luego volvió a llamar, se disculpó y nos dijo con mucho dolor en la voz que la habían matado. Y también nos dijo que estaba encima de esa ofrenda».

«Eugenia se molestaría por haber "contaminado" su propia excavación», dijo Diana, casi riendo.

«Eugenia está muerta».

«¿Por qué siempre tiene que ser la última en irse de todo: de la fiesta, del baño, de su trabajo? Si hubiera salido antes, igual no la hubieran matado a ella».

«¿Y si la esperaron para matarla precisamente a ella?».

«No digas mamadas».

«Tal vez no fue la última. Tal vez fue la primera».

Antes de salir del Ministerio Público, pero después de nuestros interrogatorios, les dijeron que tendrían que ir a la Fiscalía si querían recuperar el cuerpo. Se lo habían llevado para realizar las investigaciones correspondientes. Pero, como si no fuera suficiente el dolor, también dijeron que para que dieran el permiso y como no eran familia, les tenían que ayudar con algo, para que pudieran ellos doblar las leyes tan estrictas en lo que a estos asuntos se refiere. ¿Cómo no iban a ser familia? ¿Quién chingados más tenía Eugenia en el mundo? Por fortuna, Yunuen tuvo la presencia de traer dinero, para lo que se ofreciera. Diana se fue a vomitar al baño de «Damas». No había desayunado. Fue pura bilis.

¿En qué lugares del cuerpo se va alojando el dolor? Antes de que se fueran, les dieron una bolsa con las cosas de Eugenia y el oficio para recoger el cuerpo en el Servicio Médico Forense.

Pero sí era posible que todo fuera peor. Una hora después un taxi las dejó en un centro naturista ubicado frente a la Fiscalía. El absurdo de ese lugar frente a la Fiscalía no dejaba en paz a Diana. Y luego: ver a Eugenia. Allí tendida. Sin sábana siquiera. Dentro de una bolsa del SEMEFO abierta hasta sus pies. La peor y más sangrienta de sus visiones nunca superaría eso. Verla así, ver su piel, sus labios así, es lo más doloroso que hicieron en su vida.

Saratoga gritó. No pudo aguantar, con su preciosa voz tan totalmente quebrada. A Diana se le vencieron las rodillas, pero se recargó en Yunuen, que también parecía doblegada por el dolor. De pronto, Yunuen empujó a Diana a un lado y fue a darle un abrazo a Eugenia. Su cuerpo se sacudía con la violencia del llanto. Pero no se oyó ni un ruido. Hasta para llorar era disciplinada. En ese momento, mientras Saratoga aullaba como perra en el pasillo y Yunuen se sacudía encima de Eugenia, Diana no pensaba en nada. Le dolía todo. Odió el mundo, le dolió estar viva. Respirar ese olor dulzón químico y podrido de la morgue ya ni la hizo vomitar. Diana como sin cuerpo, ni estómago, ni ojos, ni nada. Por un momento, quiso estar muerta también.

Quizás por ser la más callada, el médico forense le preguntó a Diana si traía algo para vestirla. Nadie lo pensó. Ni siquiera Yunuen, que siempre pensaba en todo. Ni Diana, que siempre traía mamada y media en su bolsa. El médico les dio el oficio y Yunuen sacó la ropa y las cosas de Eugenia que les habían entregado en el Ministerio. Ropa tiesa de sangre. Se miraron las tres en silencio sopesando si ponerle esa ropa, o dejarla en una bolsa desnuda, frente a todos esos hombres. Irían por ropa limpia al cuartito de su casa y volverían. Saratoga cerró la bolsa y en ese momento sintió que se le rompía algo en los pulmones. Se le olvidó cómo respirar durante unos segundos, segundos que abrieron el tiempo. ¿Alguien volvería a respirar? Y sí. Yunuen se arregló con ellos para decirles que vendría a dejar la ropa y a encargarse de llevarla a velar.

El taxi que se suponía iba a esperarlas en la tienda naturista se había ido. Saratoga quizo regresar de una vez por Eugenia y ponerle la ropa tiesa. Yunuen la convenció de que no. Diana no sabía qué hacer. Por inercia empezaron a caminar por la avenida frente a la Fiscalía en dirección a San Martín, pero eran horas de camino. Tenían demasiado en qué pensar y ponerse de acuerdo como para pensar en transportarse velozmente. Repitieron lo que les habían preguntado, lo que les habían dicho. A Yunuen se le ocurrió que además de recoger su ropa, deberían hablar con la familia donde vivía. De familia a familia. Tal vez les contarían algo que no le contarían a la policía. ¿Quién no le contaría muchas cosas a la policía que sí les contaría a otras personas? Definitivamente había que ir a San Martín.

Siguieron caminando. Pasaban camiones que echaban humo. En la calle por encima de sus cabezas flotaban retratos de políticos sobre plástico roto en tiras, o deslavados, deformes, colgados de postes. En algún momento Yunuen tomó de la mano a Diana y Saratoga. Diana traía la bolsa con las cosas de Eugenia en la otra. Caminaron más. Llegaron a Santa María Chiconautla ya cansadas. Unos policías sentados en su patrulla las vieron raro. Se soltaron las manos. Siguieron caminando unos cuantos kilómetros. Diana sacó unos lentes de sol de su bolsa gigante. A Saratoga le costaba abrir bien los ojos por tanto llorar, porque estaba cruda del mezcal, pero sobre todo del dolor. Retorcía su mechón de fleco azul y lo chupaba. Necesitaba agua y necesitaba dormir. En vez de eso, fumó. La piedra de dolor se afiló dando vueltas en el estómago de Yunuen, que se iba mordiendo un dedo. Pero en ese momento no obedecían a sus cuerpos, sino a la voluntad que estaba enfocada en Eugenia como el rayo caliente del sol parecía enfocarse en sus cabezas. ¿Cómo no pensar en ella? Eugenia. Su asesinato. Su asesino. ¿Quién, quién, quién? ¿Por qué, por qué, por qué? De pronto Saratoga se puso a cantar como hacía tiempo no cantaba: por un momento se acordó de cómo respirar. Una rola vieja. De otro país, de una religión ajena, pero que encantaba igual. No necesitaban nada más que a Eugenia. Y allí enfocaron su amor. Diana y Yunuen se pusieron a cantar con ella como disco rayado. Después cantaron: «Paloma negra, dónde dónde andarás...». Después las volvió a atravesar un sentimiento de urgencia. Yunuen frenó, las miró y dijo que había que tomar un taxi hasta llegar a San Martín. ¿Ricardo Wagner?, preguntaron por la calle donde vivía Eugenia. Saratoga se acordó del nombre por la conexión musical. A Eugenia y a Saratoga, tal vez por razones distintas, les parecía maravilloso ese nombre, en ese lugar preciso y, más de una vez, contaron las posibles esquinas absurdas que podrían generarse en ese pueblo, como mezclas insólitas de música al buscar sintonizar estaciones de radio.

Llegaron a casa de la familia donde vivía Eugenia. Yunuen había ido una vez antes a acompañarla cuando se mudó. La señora Valero Flores las recibió. No parecía sorprendida de que llegaran. Al contrario, abrazó a cada una. Diana se quitó los lentes de sol.

«Diana», fue lo único que pudo decir. Luego, aunque no se conocían bien, se abrazaron. Muy a su pesar, Diana lloró un poco.

«Se había vuelto de la familia. Era como otra hija», dijo la señora Valero Flores.

Más llanto revuelto con coraje. Diana pensó en que para Eugenia esta familia también se había vuelto como la propia. Eugenia nunca había vivido en una situación de familia tradicional. El cuarto en el que entraron, de cemento, estaba impecablemente barrido y olía a detergente de pino. Había una cafetera de peltre azul en la estufa.

En una esquina una pequeña pantalla estaba tapada con un plástico grueso, para protegerla del polvo. La radio estaba prendida pero no se oía qué sonaba, solo un ronroneo de fondo.

«Siéntense, por favor», las invitó la señora jalando sillas y bancos, pasando un trapo húmedo en los asientos velozmente, como un reflejo. «Aquí el polvo se mete por todos lados. Nunca para. ¿Cafecito?».

Metió más café y canela, clavo, y dos partes iguales de piloncillo y chocolate. Diana la observaba como el aprendiz que pone atención a un alquimista. Olía bien. Olía a casa. Aunque Diana no sabía por qué asociaba ese olor a algún sentido de hogar si su casa nunca olió a eso. El cuarto estaba semi oscuro, entraba la luz tajante de la tarde, como un rayo por la puerta del patio y por la única ventanita de herrería. En la penumbra fresca se respiraba un poco mejor y a Diana se le bajó la cruda casi al instante.

Una copa con néctar que se voltea. El néctar se esparce despacio, se extiende y se estira hacia arriba, en contra de la gravedad formando hilos y redes doradas y plateadas. Reflejan la luz y tiemblan con una brisa invisible. Más que belleza, es como el primer recuerdo de descubrir la belleza. Y la red se va rompiendo y rehaciendo, rompiendo y rehaciendo, como si el pasado o el futuro no existieran, solo el instante de la reconstrucción.

En lo que hervía el café, Yunuen fue la primera que le preguntó algo a Ermelinda, o Erme, como pidió que le llamara. Se acercó al tema muy hábil, como una hormiga sube una pared vertical. Diana, mientras, observaba el patio. Un gorrión aterrizó, como si este fuera su patio, saltó dos veces y empezó a comerse algunas migajas de algo, volteando la cabeza de derecha a izquierda y de izquierda a derecha en movimientos bruscos y graciosos a la vez. Saratoga se veía muy mal. Yunuen seguía:

«¿Y su hija va a la escuela acá en el pueblo? ¿Le gusta?».

«Es la mejor de su clase. Eugenia luego le echaba la mano con sus tareas. Quiere ir a la universidad. La prepa queda aquí cerca, pero de todas formas no me gusta que camine sola, y ahora después de esto, menos, pero ¿qué le vamos a hacer?».

Diana cerró los ojos. Y llegó una visión como cuando la ola a las espaldas revuelca a la persona distraída.

Pezuñas de caballo de patas café. Marchan se paran marchan, y tiran una herradura plateada, luego otra dorada. Debajo de esta, sale un chapulín, la herradura de oro brilla. Resplandor.

Al volver a abrir los ojos, Ermelinda le estaba echando aire con el trapo.

«Ya pasó, hija».

«Estoy bien, estoy bien. No pasa nada».

Claro. No pasa nada, todo pasa. Saratoga y Yunuen, cada una sosteniéndole la mano.

«Luego se me baja la presión».

Explicación fácil, ya luego contaría su visión en casa. Y ¿qué quería decir? ¿Qué o quién era el chapulín? ¿El caballo? Había perdido la habilidad de leer las visiones, de conferir sentido a su lenguaje particular. Además, Erme ya bastante tendría con toda esta ola de presencias extrañas en su casa como para que Diana se pusiera a hablar de visiones. En la mesa estaban las cuatro tazas de café todavía humeante. No se había ido tanto tiempo. En el patio ya no estaba el gorrión. Mejor así, por ahora Diana tenía más que suficiente compañía dentro y fuera de su cabeza.

«Come algo niña, toma», Erme le acercó la taza y se fue a buscar algo en las repisas. «¿Le pongo más piloncillo? ¿Un bolillo? Está fresco».

Diana se comió la mitad del bolillo despacio, sopeándolo en la taza. Le temblaba un poco la mano. Hizo su mejor esfuerzo por esbozar una sonrisa para que Erme se sentara otra vez.

«Vinieron del Ministerio. Nos preguntaron si Eugenia tenía novio. No quisimos decirles nada. Ya saben cómo son. Pero pues sí nos asustaron, empezaron a preguntarle a mi marido que si dónde había estado él la noche esa. ¿Pues dónde iba a estar? Aquí, durmiendo. Trabaja, tiene que dormir. Eugenia siempre llegaba cuando ya estábamos todos durmiendo y salía cuando todavía no nos despertábamos, así de madrugadora. ¿Qué querían que les dijéramos? Hasta al pobre de Miguel lo interrogaron, qué va a saber si apenas tiene seis años».

Echó el trapo sobre la mesa.

«También a Jessica y a Cecilia les preguntaron. Les preguntaron si ellas tienen novios, uno no dejaba de verle las piernas a Jessy. Me dio mucho coraje, y yo nomás rezaba para mis adentros por que se fueran pero igual les seguí sirviendo café y se lo tomaron todo, hasta cuando ya no tenían preguntas se quedaron, así mirando nomás. Nos preguntaron muchas veces por Adán, nuestro hijo que vive en Chicago. Querían saber cuándo se fue, en qué trabaja, si ha vuelto. ¿Se imaginan? Que dios lo bendiga, no ha vuelto, ni volverá. Lo extraño como solo se extraña a un hijo, pero que no vuelva, que se quede allá. ¿Para qué va a volver? Luego fueron a husmear en el cuarto de Eugenia. Pero pues qué iban a encontrar allí si ella vive como monja».

Hizo bola el trapo.

«Vivía».

Apretó fuerte el trapo hecho bola que traía. Ahora Yunuen y Saratoga le tocaron el brazo y la mano a ella.

«¿Quieren pasar al cuarto? Dejaron sus cosas allí todas revueltas. Está todo igualito, yo ya no quise tocar nada».

Saratoga sentía la cara como papa hervida. El café de Doña Ermelinda la había ayudado, pero igual estaba como aquel trapo húmedo, sudando frío. Malita. El cuarto de Eugenia era una casita aparte en el mismo terreno. Hacía calor afuera y adentro de ese cuarto con su techo de lámina y paredes de block, más; no como en la casa principal donde la penumbra olía fresco.

Dentro, el calor había destilado el olor de Eugenia. Fue como otro gancho al hígado. Su colchón en el piso tenía las sábanas revueltas, el sarape grueso con lobos que habían comprado juntas estaba tirado en el piso. Al lado de la puerta seguían sus huaraches enlodados, esos no los habían tocado, tenían dentro un par de calcetines desparejado, hecho bola. Eugenia se había muerto en botas. La madre de Diana se burlaba, como solo las madres a veces se burlan, de los huaraches de Eugenia. Con amor de tía la invitaba a comprarse *otra cosa*. Eugenia contestaba igual de amorosa, contándole las diferencias entre sus varios pares: desde los clásicos con suela de llanta, hasta unos con nudo de pata de gallo, «para hombre», como le explicó, y luego ya se reían. Había una bolsita de semillas de girasol, todavía sin abrir. Sus libros estaban tirados, los habían tirado los policías. Parecía que estaban buscando algo, pero allí los dejaron regados con las páginas abiertas, revoloteando en la pequeña brisa que entraba por la puerta. El olor se disipó o Saratoga se acostumbró a él, como arropada en él, sin sentirlo. Estaba pasmada. Yunuen fue la primera en entrar en acción. A pesar, o tal vez precisamente a causa de no haber estado ese primer día, era la que reaccionaba más pronto, la que hacía las cosas bien, como si fuera una manera de volver a achatar ese dolor en su panza. Empezó a levantar todo. Doña Erme salió y volvió con una caja de cartón, para acomodar las cosas. Estaba llorando en silencio en la puerta. Diana ya había entrado al cuarto de Eugenia en la comuna y ahora entrar aquí, aquí donde había dormido más recientemente, le dolía aún más. Nadie se dio cuenta cuando Doña Erme se fue. Estaban absortas entre las sábanas y la ropa, buscando pares de calcetines escondidos debajo del colchón, apilando libros y libretas, reuniendo lápices y una que otra pluma y el rimmel que era el único maquillaje que usaba Eugenia cuando salía, además de sus tres botes de crema solar para no tatemarse durante sus largas horas de excavación y catalogación. Saratoga encontró un arete de chaquira huichol que le encantaba a Eugenia, nadie encontró el otro. Había un paquete de papel de baño y unos de tampones como patas de conejo inútiles. Un jabón huérfano. Alguien tenía que decidir qué hacer con esas cosas. Una frialdad que había acompañado a Yunuen desde las montañas de Canadá, o que así sintió en ese momento de calor y confusión, puso su cuerpo en acción. Tal vez era la disciplina militar que mamó. No quería que se quedaran allí las cosas de Eugenia para que volvieran los tiras a manosearlas o robarse algo. Además, así ya no podrían seguir molestando a Ermelinda. Los gestos de Yunuen oscilaban entre la ternura de una madre que dobla la ropa de su bebé recién nacido y lo meticuloso de un burócrata. Quiso pensar que lo estaban haciendo bien, como le gustaría a Eugenia, como ella misma hubiera catalogado estos «artefactos». Pero sus artefactos eran pocos y sencillos. Nada lujoso. Si hubo un anillo o algo de valor, los policías se lo habían robado. Encontró sus diarios de campo: se veía su letra apretada y pareja pero medio inclinada hacia la derecha. Se quedó hojeándolos sin atreverse a leerlos todavía. Como si tocarlos fuera acariciarle la frente a Eugenia para despertarla.

El cuarto de Eugenia parecía un set de película de espías, cuando entran y revuelven las cosas. Pero era una extraña y metódica revoltura. Por ejemplo: no estaba todo tirado, había cosas intactas y otras movidas, hojeadas, como cuando buscas sin buscar, como con ese gesto mecánico que sería justamente el de unos actores, una simulación. En ese momento a Yunuen le parecía una película porque así lo hacía tolerable, como si lo que estaba pasando fuera algo distante de la realidad. Mediar lo que no tenía mediación posible. Lo inmediato. Yunuen tenía la cabeza fría pero tampoco era que estuviera pensando con gran claridad. Cada quien se presenta como puede y también se esconde donde puede.

A veces nos refugiamos en las palabras y las habitamos, como una piel que no es nuestra pero nos acomoda por un momento. Así tratamos de resguardarnos entre todo esto que pasó.

El problema: somos un camión sin frenos en carretera mojada. ¿Cómo nos detenemos? Al ponerle palabras al fin.

Guardaron estos fragmentos de la vida de Eugenia en la caja. También sacaron su ropa, casi negra de sangre seca, de la bolsa donde estaba. Sacaron un anillo de turquesa delgadito, de la buena suerte, que evidentemente no sirvió para un carajo, lo guardaron con rabia y sin el cuidado que le habían puesto a las demás cosas. También tenían una bolsita que les habían dado en el Ministerio con sus pulseras de chaquira, y su esclava, en realidad la de su madre. Esa pulsera, esclava, tenía el nombre de su mamá grabado *Clío*, y *Adalberto*, atrás con una fecha. No era de mucho valor, pero a Diana la había alegrado que la devolvieran porque Eugenia nunca se la quitaba. Diana la sacó de su bolsa y la envolvió en un paliacate y también la puso en la caja. Todo cupo allí: una vida dentro de una caja. Dejaron sus sábanas, su cobija. A Erme, Yunuen quedó de pasar a verla otra vez. Ella pidió los datos del velorio y Diana le respondió que hasta que no les entregaran a Eugenia no podían saber nada. Las tres anotaron su número de celular. Sin que nadie pudiera saberlo todavía, en la matriz del dolor mismo, se gestaban nuevos vínculos. Con la caja, ropa limpia, ropa tiesa, con sus diarios de campo salieron de casa de Ermelinda. Ni menos livianas, ni con más claridad de qué hacer más allá de ir por Eugenia.

A Yunuen se le iba la paciencia como se estaba yendo el sol. Sentía la necesidad de sujetar una situación que estaba totalmente fuera de control. Ir de regreso por el cuerpo de Eugenia. Lo mejor sería ir de inmediato, decía

Yunuen. Lo mejor sería esperar y volver en la mañana con las cabezas frescas, decía Saratoga, ir a dejar la ropa y luego ver qué hacer para el velorio. Las tres tenían el pendiente de su cuerpo. Lo quiero fuera de ese lugar, sentenció Diana. Había que cuidarlo. Velarlo. Antes no sabían, pero ahora lo entendían en la piel, en la entraña. Eugenia fue su primera, pero no sería la última.

Perdieron cualquier halo de frescura que les había otorgado la sombra de doña Erme mientras buscaban un taxi que las llevara de vuelta a la Fiscalía. Empezaba a caer la noche. Había un extraño bochorno que no correspondía a esta época del año y, aunque no llovía, en la distancia, más allá de Cerro Gordo, se veían venir los truenos.

Los gritos cacofónicos de unas primaveras volviendo a su nido en un ficus sobresaltaron a Saratoga. Pasando ese árbol, vieron un taxi estacionado en una parada.

Mientras las tres se mecían de lado a lado en el camino de regreso, Yunuen llamó a la funeraria y desde su teléfono hizo la transferencia de dinero y todos los trámites. Saratoga tenía la frente pegada a la ventana y se iba dando topes cada vez que el taxi pasaba por un bache. Diana volvió a ponerse los lentes oscuros aunque ya no había luz y estaba como hipnotizada con las burbujas de aire de las suelas de sus tenis para correr. Yunuen seguía absorta en su teléfono, resolviendo cómo recuperar el cuerpo de su hermana, sus dos pulgares moviéndose con toda la velocidad de la desesperación. El taxista puso las noticias en la radio: el ejército había tenido enfrentamientos con unos manifestantes en las selvas del sur del país; inundaciones inauditas en el norte; se mantenía el bloqueo frente al Palacio Nacional, corte comercial... y así durante casi una hora en lo que llegaron por Eugenia.

Diana entregó la ropa limpia a los médicos mientras les volvía a enseñar la copia del oficio. Saratoga salió a pagar fotocopias de sus identificaciones. Mientras tanto Yunuen esperaba a las personas del servicio funerario debajo de una luz blanca que hacía que todo se sintiera más sórdido, mordiéndose las uñas de una mano y con el otro brazo abrazándose el estómago.

Dos jóvenes se llevaron el cuerpo de Eugenia, ya vestido, dentro de un ataúd de madera barnizada en una camioneta color gris que fungía de carroza fúnebre. Diana puso la mano encima de la caja antes de que la metieran y pensó cuántos cuerpos transportarán en ese ataúd y en esa camionetita. Subieron las arcadas como salen los ciempiés por debajo de una piedra. Un hombre mayor salió de la puerta del conductor y la apartó de la caja con suavidad, luego les indicó a los jóvenes que cerraran las puertas. Saratoga fue a detenerla del brazo y Diana se la sacudió de encima. Mientras tanto Yunuen ya había encontrado un taxi de esos que esperan frente a la Fiscalía sabiendo que hay clientes a cualquier hora para que siguiera a la camioneta y después las llevara a casa.

Cuando volvieron a la comuna era tan tarde que ya ni el carrito nocturno de hot-dogs seguía allí. Saratoga fue la primera en meterse a la cama de Diana, que por una vez no estaba tendida e impecable, y Yunuen estuvo un largo rato en el baño. El dolor que recorría de su estómago a su intestino la tenía doblada. Cuando salió, vio que Diana y Saratoga se habían quedado dormidas con la ropa puesta. A duras penas se sacó los jeans polvosos y se metió bajo la cobija con ellas.

A releer las palabras de Eugenia, como lo hicieron sus amigas esos días después de que la mataron. La releemos una y otra vez y su voz en las nuestras resuena y borra los ruidos terribles de esa guerra que todavía sucede afuera, no tan lejos:

> Adalberto (vuelvo a tu nombre completo, tu ausencia no me permite otro):
>
> Escribo de espejos. El otro día leí que tu nombre, que siempre me ha parecido feo y anticuado a la vez, pretencioso y largo, quiere decir el que brilla por su nobleza, porque *Behrt* en alemán antiguo significa resplandor. El que brilla por su ausencia, más bien. Espejo sin reflejo. En páginas anteriores había escrito de este texto como espejo. O no. Espejos rotos.
>
> Siento que esta escritura es un recorrido, como ir entrando en un túnel, como en el que ahora trabajo, en esa oscuridad, en ese principio o fin de mundo y, de pronto, empezar a encontrar con la luz, con la escritura misma, esos destellos como estrellas, ese cielo de pirita. La escritura como arqueología, la arqueología como entrada al inframundo.
>
> Es curioso porque la palabra humano viene de enterrar. Y acá lo que hago es ir justamente contra esa definición, contra natura: como si para ser quien soy debo ir contra lo que me hace ser lo que soy. Y no puedo imaginar hacer de otra forma. Lo que alguna vez se enterró, desenterrarlo, buscar historias en la tierra. ¿Contarlas? No todo el mundo está de acuerdo con lo que hacemos.

Hay gente que dice que es una falta de respeto, que estamos violando a los muertos. No sé. Entiendo de dónde viene eso, y también hay una necesidad de buscar, de encontrar, de saber de dónde venimos y por qué. Ahora que lo escribo, pienso, tal vez mi obsesión es porque nunca estuviste: busco historias donde puedo. Tú eres una piedra más de éstas que voy quitando, no eres nada que pueda leer ni interpretar, eres oscuridad y silencio, brillo sin reflejo, espejo roto. Mejor le busco por otros lados. A mamá y a mí nos olvidaste tan bien que nos olvidamos de nosotras mismas. Mamá a tal punto que se perdió sin forma de regresar. Yo me busco todos los días acá en la tierra, me desempolvo, me invento y reinvento, me encuentro historias, conexiones. Me perdí y me encontré en otros lados y de otras formas también. Uno de esos encuentros fue con Tadeo, flaco correoso que me movió todo hasta romperme. Fue, supongo, mi novio. Nuestra relación fue breve, nueve meses, y allí se gestó todo. Todo mi amor, admiración, mis conversaciones, el sentido de mi ser, lo deposité allí, lo definí todo desde él. Me entregué, como quien dice. Aprendí. Aprendí mucho. Aprendí de mi cuerpo, del cuerpo de alguien más, a coger, a coger como nunca me habían cogido, aprendí cosas hermosas que hay que aprender y que la gente logra pasar una vida sin saber, aprendí a decir lo que pienso, a usar las palabras, para bien y para mal, para herir y para curar, para construir y para destruir. Aprendí a decirlo como lo pienso. Aprendí que no hay nada demasiado feo para este mundo. Sigo aprendiendo eso. También aprendí de la belleza. Del dolor. Aprendí lo que se siente tener el corazón roto. De ti, mi único recuerdo, es el de una presencia, unos brazos que me lanzaban alto muy alto y me atrapaban otra vez. Un vértigo. Una sensación de inseguridad permanente y emocionante. Las pocas veces que me aventaste, nunca me dejaste caer. Ya luego nos dejaste para siempre, mi madre tan caída que nunca más levantó. Con Tadeo fue una sensación parecida, de vértigo, de emociones fuertes. Sentía ese amor vivísimo en el corazón, un pez que se me escapaba de las manos, que sabía que no lograría sostener el tiempo suficiente, pero que no dejaba de buscar, aunque mi mente dijera por allí no, mi deseo desobediente quería. Y me rompí. Me estrellé. Me reventé la madre que ya ni tenía. Pero cómo disfruté esos momentos antes de. Y ya para recoger los pedacitos estaban Yunuen, Diana, Saratoga, mis hermanas de la vida, y estaba, sobre todo una oportunidad: esta chamba. La labor de buscar fragmentos, de reunirlos hasta darles sentido. Labor de cuidado, labor de permitir que las historias se cuenten. Aunque hay gente que desentierra para saquear, que cada vez que mete algo (mana, palo, máquina) en la tierra es para sacar, para mí desenterrar es una forma de atender, de velar y procurar a personas que nunca conocí, a sus ofrendas que a su vez eran una de las formas para cuidar a sus muertos. Para mí esto es una forma de mantener viva la memoria, aunque sea ajena. Eso es lo que respondo a quienes nos llaman ladrones de tumbas: no robamos, cuidamos. Aunque supongo que todo es siempre una cuestión de punto de vista. Yo, por fin estoy como me gusta, con los pies llenos de tierra. Embarrada de lodo hasta los codos, Adalberto.

Nos gusta contar historias a la tierra y de la tierra, allí también cada boca cuenta diferente. Lo que algunos llaman recurso para otros es vida, alimento. Lugar donde enterrar ombligos y muertos. Hogar. Mientras estoy con los arqueólogos desempolvando, desenterrando, catalogando, numerando, dilucidando, alucinando los objetos que hemos encontrado y seguimos encontrando, allá, no muy lejos se escuchan máquinas rascando, rajando los montes. Todos los días nos preocupamos de lo que se están llevando entre las garras esas máquinas. Acá donde rasques, algo sale. Como en mi casa de San Martín. Imagínate lo que no destruirán. Están cambiando el paisaje de los teotihuacanos, lo que se ve: de perfil la Pirámide del Sol coincidía a la perfección con el cerro del Patlachique y ya no será, muy pronto, lo que se veía y se ha visto por siglos. ¿Qué se cambia al cambiarse eso?

En el pueblo, la asamblea estaba dividida y ya no: quieren sacar las maquinas de saqueo. Ya no quieren que saquen más basalto y tezontle. Empecé por escuchar a Erme. Ella no soporta esas máquinas y lo que le están haciendo a sus montes. Donde ella jugaba ya no se puede ni pasar, cuenta. Los animales que se oían ya ni se escuchan ni se ven. La acompañé para escucharla. Escuché esas y muchas historias más. Me di cuenta de que defender eso que vieron los teotihuacanos hace cientos de años era, hasta cierto punto, casi una abstracción. Mi punto de vista acerca de sus vistas antiguas. ¿Y qué hay de lo que ven, viven y respiran los teotihuacanos hoy? Lo que están defendiendo es eso. El ayer, el hoy para mañana. Les pregunté si podía invitar a algunos de los arqueólogos a la asamblea. Aceptaron. Los que no aceptaron fueron mis colegas. Todos dijeron estar demasiado ocupados, menos Paolo. Paolo, el italiano idealista. Paolo, el de las barbas plateadas que, corre el rumor en el Instituto, luchó hace décadas con los estudiantes más clavados de las brigadas rojas, y que por eso se vino a México. Total, Paolo se sentó y no dijo una palabra. Se sentó y se disolvió en su escucha. Nunca cerró los ojos, solamente apuntaba el dedo índice entre sus cejas mientras escuchaba con los ojos, con la boca, con toda la cara, con el cuerpo inclinado hacia delante en esa silla tan dura.

También así aprendo, mirando cómo escuchan los demás. Observando cómo escuchar. Observándome escuchar. Cómo se escucha la tierra, la gente que vive en ella, de ella y quiere defender esa vida. No sé si es verdad lo de Paolo, lo que es cierto es que escuchó mucho, que después de escuchar durante horas hizo preguntas que pusieron a la asamblea a hablar y hablar. A precisar, afinar, discutir, armar. Le pregunté que cómo hizo eso. La gente lo vino a saludar, como si fuera conocido de ellos, algo que yo no había logrado en muchas más asambleas. Me dijo que para escuchar hay que aprender a hacer visibles nuestros prejuicios, hay que identificarlos, saber que están allí, y arrimarlos a una esquina donde los podamos ver muy bien. Ya desde ese lugar, escuchar, desde la apertura más radical, desde lo opuesto de la objetividad. De lo que hablaba era una vulnerabilidad.

Yo le hacía al revés. Cerraba los ojos para según yo escuchar mejor. Según yo venía como tábula rasa a escuchar, así según yo limpia de prejuicios, puesta, te imaginas, ahora me da risa. Con razón no confiaban en mí todavía. Pero estoy aprendiendo.

Y así poco a poco me he ido involucrando más. Paolo a veces viene, a veces no. Yo, como acá vivo casi siempre, estoy allí. Pongo mi presencia. Me pongo de testigo, con mi cuerpo y todas las historias y las histerias que acá cargo. No me hago la objetiva, la arqueóloga, la científica. Vengo como yo misma, con todas mis etiquetas de fuereña pero también de adoptada. Porque eso también me ha regalado Erme.

En la asamblea cuentan las historias necesarias. Historias con hambre. Historias de lodo y semillas. Historias de visiones, vistas, panoramas. Las bocas que las cuentan y van hilando como hilamos las cuentas de jade que vamos encontrando debajo de esa tierra que ellos quieren defender y cuidar, que no quieren que se siga rajando y desgajando. Escucho y me pongo. Escribo a amigos y amigas periodistas, les invito a que releven ese contar, que sus bocas cuenten la historia a otros oídos. Ojalá que sepamos escuchar. Yo no sé escribir más allá de esta lucecita que va vislumbrando mi túnel, pero sí estoy aprendiendo a escuchar. Algún día tal vez aprenda a hacer preguntas como las de Paolo. Mientras, sigo aprendiendo a escuchar y tiendo puentes a las historias. Le llamé a Rami, amigovia de Yunuen. Ella es abogada solidaria e invitó a sus colegas especialistas en derecho ejidal, y derecho ambiental. Para parar las máquinas. Paolo ha escrito también un par de artículos desde el punto de vista del arqueólogo, se han firmado cartas a organizaciones internacionales, cartas al gobierno. Es patrimonio de la humanidad lo que se llevan entre la grava los camiones. La otra noche, varias de acá se organizaron para hacer un hoyo para que a la mañana siguiente no pudieran pasar las máquinas. Fui con ellas. Picos, palas, picos, palas. Un uso de las herramientas igual de preciso, aunque mucho más agotador que el que hago yo. Versión aumentada de mis instrumentos y con una misma misión: rescatar. O más bien mis herramientas son como la versión de casita de muñecas de éstas. Le dimos, le dimos y le dimos hasta romper asfalto y sacar tierra. Siempre tierra. Sacar y sacar. Cuesta mucho, aunque no me creas, hacer un hoyo. Pero fuimos muchas. A la mañana nos paramos todas del otro lado a esperar. Los camiones de volteo no pasaron. Lo que sí pasó fue que nos insultaron, que sacaron teléfonos, hicieron llamadas. Nos tomaron fotos. Nos amenazaron, nos dijeron que era su trabajo, que les quitábamos el trabajo. Erme les dijo que trabajen en su tierra, o que vengan a trabajar pero protegiendo, no destruyendo la casa de todos. Yo no pude gritar. No me tocaba, creo. Solo me quedé parada de testigo. La güera que escucha. Que acompaña con sus oídos. Que anota. Que se presenta. Es importante. De allí, me seguí al área protegida a darle con mis herramientas en el túnel.

De dónde salen estas letras, a donde van a dar, y cómo se juntan, cómo las juntamos una tras otra tras otra y otra. Una gotera, que se escurre en frases. Discurre. El cebo que se enciende. Llamarada. Esto.

Comuna como el mercurio, se une y se separa por segundos minutos, nunca está quieta. Cambiante. Voluble. Veloz. Metal líquido. Aparente contradicción. La comuna-mercurio nunca es una, ni muchas, sino en una, muchas. Muchachas. ¿Quién falta? ¿Quién comete la falta? Comuna en la culpa.

[descripción de objetos contenidos en una caja de plástico sellada junto con las hojas de un cuaderno de «visiones», los «apuntes de la comuna» y páginas del «diario de Eugenia» encontrados en la gruta A túnel 5]

Una (1) bolsa hecha de piel de gamuza levemente enmohecida con una cinta para atarla

Tamaño de la bolsa: de la palma de una mano humana (¿Es decir?).

Dentro: Un [1] arete o pendiente decorativo hecho de alas de coleópteros y plumas de ave. Consta de unas cuarenta [40] alas de escarabajos verdes o mayates o eumolpinos (muy probablemente, por la textura y acabado metálico), perforadas en un lado y atravesadas por un hilo de algodón una sobre otra sobre otra, hasta formar una especie de torre o columna móvil articulada atada a una pequeña y finita vara de madera para meter en la oreja de un lado, y terminado con una pluma amarilla de guacamaya por el otro. ¿Ornamento?

Un (1) contenedor rectangular de plástico marca *tupperware*

Con tapa.

Dentro hay veinte (20) variedades de semillas sueltas dicotiledóneas y monocotiledóneas.

Hueso de aguacate entero, hueso de aguacate partido

Frijoles criollos varios: negros, grises, lilas, blancos, beige, pintos, rojos, rosados, y unos morados manchados de blanco como galaxias miniatura

Semilla de mamey, café, del tamaño de la palma de una mano, resplandeciente

Hueso de durazno intacto con su semilla dentro

Hueso de *mangifera índica* (variedad conocida como mango-piña)

Semillas de orquídea, alargadas (variedad desconocida)

Más semillas de orquídea, ovaladas (variedad desconocida)

Semillas de maíz criollo de varios colores: amarillos, blancos, rojos, vino, rosado, morado claro y morado oscuro.

Cabeza de amapola seca llena de semillas de amapola (variedad desconocida)

Tres frutos de *jacaranda cusipidifolia* llenos de semillas

Dos frutos de *Tabernaemontana donnell-smithii*, conocido como huevos de caballo, dos llenos de semillas blancas y esponjosas, uno vacío

Varias semillas de colorín, ya sin vaina

Trece semillas de granada (*púnica granatum*) secas

Seis semillas de *gingko biloba*, sin sarcotesta también

Treinta semillas de loto (*nelumbo nucifera*) secas y con cáscara

Aproximadamente 50 semillas de tuna y xoconostle

Medio puñado de semillas de jitomate (indeterminado)

Un puñado de semillas de *Lens culinaris variabilis*

Tres semillas de algodón

Fruto del pochote o *ceiba aesculifolia* perfectamente preservado y sin reventar, todavía lleno de sus semillas

¿Sonaja improvisada? ¿Semillero? ¿Archivo? ¿Carta para un futuro? ¿Máquina del tiempo? ¿Refugio?

Un (1) collar

De semillas negras alternadas con semillas rojas enhebradas en un hilo de nylon transparente como de pescar. Las semillas en este caso parecen ser de árboles o plantas del trópico o sub-trópico. ¿Abalorios de un rosario? ¿Ábaco portátil? ¿Talismán? ¿Eleké para abrir caminos? ¿Hacia dónde?

Acabar con la comuna, con lo común, terminar con todas tendidas en ataúdes. O en hoyos. O bolsas. O en nada. Erradicar, ultimar, cesar, liquidar, matar, eliminar suprimir, exterminar, aniquilar, desaparecer. Empezaron por silenciarnos y luego quisieron borrarnos. Ni tan poco a poco. Documentamos que en las paredes se contaban cuántas mujeres morían al día. Cuentan que en el salón de clases faltaba una. En la oficina otra. La del puesto de la esquina no llegaba. La del equipo de limpieza. La vecina. La hija de la señora. La hermana de la prima de aquella. La amiga de amigas. Desaparecieron más y más mujeres. Y Eugenia y más tarde sus amigas.

Pero quedamos algunas. Y acá escribimos a cuatro patas. Ahora que hablas, que dices esto, que lees en voz alta mira esas partículas miniatura que salen de tu boca al pronunciarnos: esas también somos. Agüita microscópica, somos partículas que al pronunciarse se generan, se inhalan y de la nariz, a los vasos sanguíneos de allí al corazón, al cerebro, a los dedos, a todas partes. Incorporadas. Somos tu cuerpo lector, tu cuerpo escuchante. Te hablamos desde el más allá que es aquí dentro.

Continuar la lectura del diario en la gruta como acto de pasar por el corazón, de devolverle sus partes al cuerpo desmembrado, como ritual:

> Adal (no dejo de intentarlo, ¿qué te cambio cuando cambio tu nombre?):
>
> Una tarde, cuando mi mamá todavía estaba bien, o no tan mal, vino a visitar una mujer mayor a la casa. Era alta, con entradas que hacían parecer el resto de su pelo una salida. La escuché hablar un rato de cosas sin importancia y todo lo que decía me parecía como una pequeña mentira. Cuando se fue, mi mamá me dijo que era tu hermana. Luego Clío se puso muy mal. Hay días, casi todos los días, que me preocupa acabar como mi madre. Tal vez por eso no voy a visitarla tanto como debería. Me da miedo que la vida me chupe. Que alguien, un hombre, me robe todo lo que tengo, como tú hiciste con ella. Que me quede sin trabajo, sin herramientas, sin capacidad para pensar,

buscar, imaginar, escribir. Hay otros días, los peores, de hecho, que me preocupa volverme como tú. Dejarlo todo. Hacer un hoyo y desaparecer. Dejar huecos vacíos. Escribo estas palabras para no desenterrarme.

Hubo momentos en mi relación con Tadeo donde lo lastimé o lo orillé a que él me lastimara para justificar lastimarlo de vuelta. Algo así de retorcido. Momentos en los que me escuchaba y no me reconocía después de haber hablado. Como si alguien más hablara, como si alguien me hiciera gritar cosas que no quería decir en el calor del momento. Me pregunto si eso lo saqué de ti. O de tu ausencia. No sé si los fantasmas dejan herencia.

¿Ruinas? A mi madre sí, pero a mí no me arruinaste. Esa historia no te la concedo. Soy todo menos perfecta. Pero eso sí, me entregué completa. La entrega. ¿Será que tú te entregaste a alguien más, a algo más y por eso nos dejaste? Nunca hago nada a medias. Como lo quise, lo quiero. Hasta el día de hoy lo quiero, tanto que no he vuelto a salir con nadie. Mejor decidí entregarlo todo a mi chamba. Mis amigas se burlan de mí, y sé que lo hacen porque en el fondo están preocupadas. Pero no, no puedo, todavía lo quiero demasiado. La gravedad me jala a la tierra. Me meto dentro, en mi túnel. Sería injusto estar con alguien más. Injusto. Qué palabra. No sé si la palabra injusto sea, justamente, justa. Solo sé que no estaría bien ahora. En cambio en la tierra, excavando, sí lo estoy.

Uno de mis escritores favoritos, James Baldwin, dice que la gente está atrapada en la historia y la historia atrapada en la gente. Me desconcierta no conocer tu historia ni saber qué de lo que me atrapa, de lo que yo atrapo o contengo, es tuyo. Tumbas de papel. Lo que me queda claro es que eso que él dice pasa todos los días en

Teotihuacán. La gente y la historia conviven, a veces atrapadas, a veces fluyendo. Pero lo del territorio y las minas es un ejemplo muy claro. Si lo ves desde fuera igual parece fácil decir «no se aferren». Las cosas cambian, pero ¿qué dirías si allí estuviera toda tu historia? Si todos y cada uno de tus parientes estuvieran enterrados. Todos allí hasta extraviar las ramas del árbol genealógico en el cielo y clavar sus raíces bien arraigadas en esa tierra. Si tu vida dependiera de ese territorio. Qué si la tierra es más que la sangre o la sangre hace la tierra. Acá se habla de matar a los cerros. Así es la relación sangre-tierra. Así está de imbricada la historia con la gente, la gente con la historia y ambas enterradas en el territorio. «Las pirámides son montañas domesticadas», dice Paolo, son una manera de atrapar lo divino en una forma humana, pero lo esencial son los montes de alrededor, allí está lo mero divino, el pasado atrapado, el presente y el futuro de toda la comunidad, el meollo del asunto: la historia contada en tierra.

Historia contada en tierra: érase una vez un arqueólogo parado en el pasto de la explanada. Detecta un lugar más verde y más sumido: como la equis que marca el tesoro en un mapa. Para detectar esas cosas hay que caminar y recorrer el mismo pedazo de tierra día tras día. Y a cavar. Emerge un hoyo profundo, de metros y metros, y sigue y sigue hasta lo que parecieran las entrañas de la tierra. Un hoyo hecho hace siglos y siglos sin herramientas de metal, con pura herramienta de piedra. Rascar la tierra con la tierra misma.

Una vez abajo, dieciocho metros abajo, se abre un túnel de poco más de cien metros de largo que termina debajo de la pirámide de la serpiente emplumada, el sitio donde nace el sol. Imaginamos que este túnel simboliza su recorrido por la noche, por el inframundo. Me invitan a trabajar, justamente en ese nuevo hallazgo, en ese mundo nuevo y oscuro debajo de la Ciudad de Dioses o de los Dioses (que no es decir lo mismo). La primera vez que bajé no podía creerlo. No es fácil bajar. Ya después pusieron una estructura de metal y aluminio y escaleras de mano, pero ese primer día, allí con gente que me mira de arriba para abajo y otros que me esperan, mirando de abajo para arriba, pongo los pies firmes en cada peldaño improvisado, aunque por dentro el estómago se anuda, se desanuda, flota. Cada metro que bajo me da la sensación de ir al encuentro de una cita con mi destino. Abajo, el túnel se abre y es notable el trabajo de manos realizado hace siglos. Pisamos unos tablones para no maltratar nada. Mucha vasija rota, muchos pedazos de cosas. Así avanzamos ofrenda tras ofrenda. Hasta que no se puede pasar. Para eso está el robot. Para avisarnos si hay algo más allá. Y sí, el más allá continúa. Cuentas de jade, hueso, cerámica, mucha cerámica. Hoy solamente doy el primer paso sobre el tablón, igual con miedo de pisar algo, de destruir algo irrecuperable. Se me cierra la garganta. Probablemente en un proceso inverso a aquel que le está sucediendo a las cosas que allí se encuentran. No entraba oxígeno allí hace siglos. Habrá que trabajar rápido, rapidísimo rescatar, catalogar, nos indican. De pie, agachada, a cuatro patas vamos tras el robot que me recuerda a una versión encogida de un *rover* en Marte, explorando las profundidades de ese túnel que parece no tener fin. Pero primero, ese día, bajé con el sentimiento que imagino tendrá la novia que va andando paso a paso hasta el altar, nada más que yo voy vestida más como albañil, con pantalones, botas o huaraches enlodados, cubeta, pico, palo, algunas cosas más delicadas pero no, primero así. Yo un nudo andante de suspenso, de emoción de ser parte de algo que me rebasa por completo. Avanzo, nudo apretado. Una pausa. Quisiera no respirar. Que mi cuerpo, sus secreciones, no contaminen nada. Quisiera estar aquí, pero desaparecer mi cuerpo. Ya con mi cuerpo que no se borra, con mi cuerpo nudo, me pongo a excavar donde me indican que será mi sección de las ofrendas.

Guardé estas notas antes de siquiera tener este diario. Las releo y vuelvo a sentir ese nudo, esa emoción que me acompaña todas las madrugadas que camino al túnel desde casa de Erme. Conforme fuimos avanzando, conforme avanzó el robot, conforme avanzaron las cubetas, conforme cedió la tierra y piedra que habían metido allí hace casi dos mil años para tapar distintas etapas del túnel, las ofrendas iban creciendo. La sensación era como habitar ese espacio en donde se tocan una curva ascendente de cantidad de objetos y una descendente de cantidad de tiempo para rescatarlos. La contradicción. La contradicción también en el hecho de que si no hubiéramos entrado allí, no tendríamos nada que rescatar. Ni tampoco sabríamos nada. A diario me jalonea esa sensación en mi corazón. La de querer saber más. La de desear que todo se quedara intacto y soterrado.

No entendemos todo lo que vemos, tocamos, sacamos. Pero al menos estamos dando testimonio, siguiendo rastros, pistas, documentando, dando fe. Y sí, hay un acto de fe en esto. De creer en que esto que hacemos vale la pena. De creer en que esto nos puede dar claves de quiénes fuimos, quiénes somos, cómo evitar ser también. La ciudad de dioses. La ciudad de los dioses. Hay días en que estoy convencida que la traducción adecuada es de dioses.

> Sobre todo desde que se encontró este túnel. También lo hacemos como una acción de amor: no nos pagan nada, casi. Mis colegas viven de forma modesta, no les alcanza ni para mantener una familia. Y diario: rasque y rasque, cuide y cuide, duro y dale.

Amanecieron en casa sin la sensación de haber descansado. Ya nada volvería a ser igual que antes. La muerte de Eugenia era parte de una enfermedad que le dio al mundo. Leer en voz alta sus palabras *rascar la tierra*, ahora dentro de la tierra misma, dentro de otro túnel distinto al suyo, pero dentro de esta misma corteza se siente como si Eugenia mirara el futuro desde el pasado en su trabajo. En ese entonces el miedo las invadía estando solas, y luego juntas un poco menos. Pero hasta el velorio de Eugenia todavía no sabían tanto de eso. O quizás sí, y no habían puesto atención. Diana en sus visiones no lo había visto. O sí y no supo leerlo. Diario les llegaban noticias: un departamento incendiado con madre e hija dentro, una mujer descuartizada en una cajuela, otra asfixiada, otra ahorcada, otra defenestrada, de la que se fue en un taxi y nunca regresó, de la que se fue de fiesta y nunca volvió, de la que encontraron en casa de otro taxista apuñalada, de la que encontraron en un microbús violada y asesinada, la que encontraron en casa de su novio sin pelo y ahorcada, la que estaba con unas amigas en su departamento y la amenazaron y luego todas muertas, la que ahorcaron con el cable del teléfono de una cabina en la universidad, la que colgaba de una cuerda, la que estaba en su casa con su hija y les prendieron fuego a ambas, la que salió en carretera y nunca llegó a casa, la que vimos todas de pie mirando al horizonte, a la noche; de las que no encuentran, las que no aparecen. Las que nadie quiso ver nunca. Pasar diario en frente del puesto de revistas con sangre en las primeras planas. Bolsas de plástico de basura negras y un tacón sin par. Cuerpos descuartizados en lotes baldíos. Expuestos. Despojos.

Pero en ese momento, nada más allá de la ceguera: cómo es que no sabían nada.

El sonido de un silbido agudo. Todo color morado. De pronto: un escorpión. Azul. Explota como fruta cayendo de un árbol alto.

Diana se convirtió en su propia madre. A limpiar. Limpiarlo todo. Menos el cuarto de Eugenia. Barrer, trapear, desempolvar, levantar, quitar, tirar, poner, pulir, barrer, remojar, limpiar, exprimir, sacar, ventilar, sacudir, fregar, colgar, ordenar, acomodar. Tratar de acomodar. ¿Cómo acomodar? ¿Esto? Imposible. La tarea de Sísifo.

Saratoga se la pasaba revisando que la puerta estuviera bien cerrada.

Yunuen llamó a su familia para pedir apoyo. Su madre les cocinó a todas. Una noche más sin dormir.

Antes de entrar a la funeraria Saratoga se olió el sobaco. Necesitaba olerse para centrarse. Dicen que la gente no se huele a sí misma, y tal vez era que Saratoga olía especialmente apestosa, pero sí alcanzaba a olerse. Necesitaba algo familiar y que la devolviera en sí. Olor a Saratoga. Un ancla. Si no sentía que en cualquier momento podría irse flotando hacia la nada y que nadie se daría cuenta. Lo único bueno, pensó, es que si eso pasaba alcanzaría a Eugenia por allí en algún lado. No tenía ninguna creencia específica del cielo pero la muerte de pronto la puso a pensar en cosas así. Andaba muy perdida de su centro y de todo. La tristeza la había extraviado. Olía agridulce. Lo que hacía que ese olor fuera dulce era la familiaridad. Lo agrio, todo lo demás. La vida, la muerte. Y de pronto, en un momento que le pareció interminable, el olor de ese lugar alcanzó a borrarlo todo. En su bolsa gigante, Diana llevaba otra ropa de Eugenia. Yunuen había acordado con la funeraria que no se la embalsamaría ni se la llenaría de fluidos ajenos, ya bastante le habían hecho a su cuerpo en el SEMEFO para la autopsia. Pidió que se hiciera el mínimo para el velorio. Diana había insistido que debían enterrarla y no cremarla y todas estuvieron de acuerdo. En su bolsillo, Saratoga sintió el anillo de turquesa de Eugenia. Sus pulseras se quedaron en casa. Cada quien se quedaría con alguna. Saratoga también le llevaba sus aretes, unas arracadas de filigrana que escogió Diana de cuando eran niñas. Cada una la abrazó. La acariciaron mientras que Saratoga y Diana, con la ayuda de una mujer de la funeraria y no sin dificultad le ponían la ropa para el velorio: una falda larga roja y un huipil bordado en blanco sobre blanco. Saratoga le cantó tarareando una tonada para acompañarla. Vete, vete tranquila. Yunuen se encargó de peinarla. Al ver sus heridas y la enorme tajada de la autopsia Saratoga volteó la mirada, llena de lágrimas picantes.

Al terminar, salieron al cuarto donde velan a las personas. Saratoga estaba en el aquí y ahora, como le dicen en los libros de auto ayuda, pero era un aquí y un ahora en el que realmente hubiera preferido no estar. La envolvió el olor embriagador de los nardos. Le sobrevino la contracción de una arcada. Las flores rodeaban el ataúd de Eugenia. José, que a eso se dedicaba, había hecho unos arreglos de nardos, orquídeas *dendrobium speciosum*, nubes, encajes y follaje. Él, que siempre pensó que usaba las flores para hacer el mundo más habitable, jamás imaginó que acabaría haciendo arreglos para el funeral de su primera amiga. Diego y Gabriel lo habían ayudado a colocarlos. El ataúd parecía escupir las espumas blancas de las flores y le aventaban ese olor. Ya no podía olerse a sí misma, ni nunca volvería a oler a Eugenia. Ese olor tan peculiar de su pelo chino. Picoso. Tan ella. En ese momento no podía más que oler esa dulzura empalagosa. Se acercó al ataúd. De reojo apenas alcanzaba a ver a Paolo hincado, y más allá: Diana y Yunuen. Estaban ocupadas con algo. Sintió que le iba a dar una sobredosis de este olor. Así que se puso a jalar los nardos de los floreros y a amontonarlos como para reventar su burbuja sacarina y tal vez así poder olernos a todas otra vez. Hacer de esto algo real y no una pesadilla. Sintió una necesidad dolorosa de oler a Eugenia. Le ardían los ojos. Le salían las lagrimas de puro ardor. Como si al llorar de pronto se hubiera podido limpiar ese olor y hubiera podido volver a oler.

De nuestros poros sale nuestra esencia y eso quiere decir que nos destilamos por allí, olernos es quedarnos con algo otro dentro. ¿Nos alcanzas a oler? ¿Sientes nuestra presencia en ti a través del olor? Una búsqueda. Acércate a las puntas de tus dedos: ¿Nos hueles en tu propio aliento al leer estas palabras? ¿A qué huelen las letras? ¿Qué es el olor nuestro que se desprende de las palabras? Quien nos huele se vuelve poro abierto: entramos en ti y revivimos. Olor: fibras enredadas de memoria e imaginación. Presencia otra. Encuentro.

En ese momento Saratoga lo entendió. Se le acercaron algunas de las personas que estaban allí para ver si estaba bien. Y cómo iba a estar bien. No estaba bien. Nada estaba bien. Yunuen la abrazó y la llevó lejos del ataúd. Diana y José se quedaron metiendo las flores de regreso a su lugar. Pero si nada estaba en su lugar, carajo. Por un instante Saratoga pensó que nadie en ese cuarto entendía su dolor. Aunque sabía que en eso estaba muy equivocada. La entendían Diana y Yunuen perfectamente. Era el mismo dolor en tres cuerpos separados. Y más allá, en otros cuartos de la misma funeraria había más personas con un dolor parecido, con sus matices, como los subtonos de una nota. Pero en ese momento Saratoga no sabía nada de eso. Solo sabía del olor, de la esencia, sabía que todo estaba descolocado. En ese momento, no lloraba porque estaba triste —no habían lagrimas suficientes para llenar la ausencia de Eugenia—, lloraba de desesperación por olerla una vez más. Yunuen la llevó fuera. La madre de Diana salió de la funeraria y la subió a su coche. Saratoga se dejó llevar entre el tráfico y la lluvia de media tarde. Estaba bufando para sacarse el olor de la funeraria de las narices. La madre de Diana no dijo nada. Saratoga recuerda el vidrio frío contra su frente que iba pegada y pegando cada vez que pasaban un bache, es decir seguido, recuerda el golpeteo de las gotas del otro lado del vidrio. Ritmos disparejos. Veía a Gilda, la madre de Diana, manejando, con una blusa negra y elegante, el pelo bien peinado y quién sabe si la reconocía o podía reconocer algo de Diana en ella. Tenía una quijada marcada y, en ese momento, tensa. El maquillaje se le había escurrido y le remarcaba las arrugas junto a los ojos, lechos de ríos secos y negros. Gilda quería mucho a Eugenia y a Clío. Era su vecina y amiga más cercana. Tal vez por eso Diana y Eugenia habían empezado a ser amigas. O al revés, Gilda y Clío se habían hecho amigas por la amistad de sus dos hijas. Gilda quería a Eugenia como a una hija. Y Eugenia se había dejado querer. Saratoga pensaba esto mirando por la ventana y el ritmo del golpeteo de la lluvia y de su frente contra el vidrio a veces se sumaba, a veces se alternaba. Pam pam pam papapam papam papam. No sentía su corazón latir. La dejó Gilda en la comuna y se regresó al velorio. Saratoga subió sola a casa. No había nadie y el vacío se sentía abismal. Todas seguían en la funeraria. La casa era como un ataúd gigante. Lo que sí se subió con ella fue el olor de la muerte y se metió en ese espacio. Empezó a desvestirse tan rápido que arrancó un botón de su camisa. Abrió la ventana que daba a la calle y aventó toda su ropa y vio cómo flotaba hasta hacer un montón oloroso de calcetines, calzones, pantalones, camisa, brasier. La pila absurda parecía como si alguien se hubiera desvanecido allí mismo en el aire en la calle, dejando su ropa como único testigo de su existencia. Pilas de ropa de mujer: la imagen del fin de la posibilidad de la vida. Eso lo pensaría más tarde, pero esa tarde Saratoga pensó en las imágenes del bombardeo de Hiroshima donde sombras tenues o un par de lentes doblados eran lo único que quedaba de las personas. En ese momento deseó que ese montón de ropa fuera lo único que quedara de ella y pensó: eso es todo lo que puede ser la muerte: un truco de magia cruel que se nos gasta a los vivos: ahora la ves, ahora ya no. Una evanescencia. Cerró la ventana porque volvió a llover y le dio un escalofrío.

Estaba completamente desnuda y acostumbrada a su cuerpo desnudo en este espacio. Sus piernas eran fuertes, como ramas de un árbol grande. Del mismo color. Pensó en el cuerpo desnudo de Eugenia. No pudo evitarlo. Medían más o menos lo mismo Saratoga y ella. Pensó cómo vio su cuerpo allí todo gris, como de cera, herido, dolido, con los hoyos que eran montículos con su cráter en medio, la piel hinchada al borde de un hueco lleno de muerte o más bien vaciado de vida. La tajada de la autopsia. Tenía tantas preguntas. ¿Cuánto dolor habrá sentido? O no habrá sentido nada si el primer balazo la mató al instante. ¿O la mató pero no al instante? Mejor pensó en su falda roja, en sus dedos con anillo. Quiso dejar de pensar. Aventó todo eso al fondo de su cerebro como se avienta algo detrás de la cama o del armario para esconderlo. Otra arcada y lo que vomitó fue un llanto que estaba allí ahogándose. El sabor a sal de sus lagrimas empezó a borrar un poco del olor a nardo. Se sacudió llorando como no lo hacía desde niña. Se abrazó de frío, de soledad, de coraje. Sus piernas eran completamente diferentes a las de Eugenia, pero tenían algo que las hacía parecerse físicamente. Tal vez algo de la mirada. Una vez en un elevador, un viejo las miraba de arriba abajo y cuando cruzaron su mirada en vez de sonrojarse les preguntó si eran hermanas.

Le dijeron que sí. Y también amantes. Y se abrazaron y le dieron la espalda. La incomodidad del señor se volvió palpable. Le habían ponchado su fantasía, se había quedado allí como globo flácido en las ramas de su imaginación verde y se bajó en el siguiente piso, perseguido por las risas de las amigas. Saratoga lloró con más fuerza. Se sintió totalmente descubierta, no porque estaba desnuda, sino por estar llorando. Se sintió desprovista de su ser en el mundo. Su mejor amiga y hermana estaba muerta y no sabía cómo iba a poder inventar una nueva forma de existir. La de la imaginación era Diana. Se sonó para respirar un poco. Sacó por completo el olor a nardo. Prendió un cigarro. Otro. Limpió el vómito. Allí, junto a la jerga enjuagada, había una piedra volcánica en la mesa, de esas que coleccionaba Yunuen en sus paseos y viajes. La aventó con frustración al techo y allí se quedó metida en el yeso una fracción de segundo, desafiando la gravedad. Le dieron ganas de que la piedra la noqueara. La tomó y con sus orillas filosas empezó a tallarse la piel. Las raspadas se volvieron cortadas, llagas. Parecía Diana. Estaba sangrando. Dejó de llorar. Volvió. Se sintió viva por fin y no como suspendida a punto de irse a otro lado, ingrávida, y entonces sí paró. Por primera vez creyó entender algo de Diana que nunca había entendido. Que incluso la repugnaba. Las heridas tenían bastante sangre. Volvió a empujar el recuerdo de las heridas de Eugenia atrás de ese armario de voluntad. Volvió a tomar la piedra y la apretó con todas sus fuerzas contra la piel de su antebrazo, con toda la frustración que su cuerpo podía enfocar. Sabía que mañana le ardería y dolería. Le dio gusto sentir ese dolor entumecido en todo el cuerpo. Ya no le salían más lagrimas. La piedra mandaba dos sensaciones a su cerebro: la primera, un ardor con voz aguda, como un rechinido. La segunda era más barítona: los músculos doliendo, llenándose del dolor. Cuando se vio al espejo estaba sonriendo.

Para entrar a la funeraria había que pasar por un pasillo de espejos. ¿Por qué hacen eso? Nadie quiere verse en un espejo en un funeral. Hay tradiciones en las que, cuando muere alguien, cubren los espejos. Para no atrapar a su espíritu. La que sabía de esas cosas era Diana, pero estéticamente lo de los espejos no servía para nada, ya ni hablar de los espíritus. En ese momento, la mente de Yunuen se distrajo pensando en los espejos, preocupándose que si el espíritu, que si su cara de loca, no verse al espejo, ni voltear a ver. Tampoco le dio tiempo de clavarse más porque vio a Saratoga empezando a descomponerse, como una bisagra a la que se le salen los tornillos. Será que de allí vendrán las expresiones de zafado, deschavetada. A saber. Vale verga. Total. Lo que importaba en ese momento era calmarla. Por suerte estaba su mamá. La de Yunuen también. Las jefas. No pensó en eso en ese momento, claro, pero tenerlas en ese mismo espacio era un encuentro extraño: los padres de Saratoga habían participado activamente en el movimiento estudiantil. Su mamá había sido líder estudiantil, de las pocas mujeres que estuvieron allí de principio a fin. Su papá se había metido en ondas más pesadas. Lo mandaron a un penal un tiempo y a saber cómo salió de ahí. Ellos sabían que el padre de Yunuen era militar y, a pesar de eso, los padres de Saratoga fueron cariñosos con ella. Afortunadamente solo estaban las madres y no el padre de Saratoga ni el de Yunuen, porque nunca se habían encontrado y quién sabe si el padre de Saratoga se hubiera aguantado algún comentario. Pero estaban a un grado de separación. Quizás todas estamos a un grado de separación de nuestros verdugos. Incluso menos. ¿Y Eugenia?

El primer acto material y encarnado ante la situación fue cuidar de su cuerpo. Yunuen pasaba sus dedos por el pelo de Eugenia. Yunuen solo se pudo enfocar en eso: el pelo, desanudar cada nudo, primero con los dedos, aunque ya no le quedaban uñas para ayudarse, se fue despacito, el tiempo se le iba estirando como con cada nudo que deshacía en cada rizo del pelo larguísimo de Eugenia, cada instante un ratito más de estar con ella, de mirarla, de sentirla cerca nomás de estar en su pelo, las puntas de rosa deslavado. Así después de desanudar, se lo acomodó suave, sobre el cuerpo, le llegaba casi al ombligo, debajo de donde estaban sus heridas, las de bala y corriendo en paralelo a la larga herida de la autopsia, su cuerpo herido a recubierto ya por la blusa y al acomodarle el pelo, hacer un intento de empezar a acomodar el corazón. Su pérdida. Pensó en los momentos que desperdició por no estar, pero también hizo el esfuerzo por sentirla una última vez con las palmas de las manos sobre su pelo. Amiga, hermana, carnala: las palabras se dicen así fácil y rapidito, pero después de la muerte, después de morir así esas palabras o se refuerzan o se ausentan de sentido con el tiempo. «El tiempo lo cura todo», decían las tarjetas en la florería por la que pasó en el lugar ese. ¿Qué iba a curar el tiempo? ¿Acaso le devolvería a su hermana? El tiempo es una cosa rara. La hermandad otra. Yunuen pensó en las decenas de veces que vieron una película juntas y que las puntas de sus dedos se tocaban casi sin querer, como imanes, y entonces sentía que ese vínculo, que era o parecía irrompible, de pronto parecía frágil y a punto de desmoronarse. Y ahora ya sin ese roce posible, sin ese vínculo en vías de desgajarse, la existencia parecía imposible. Lento, le acomodó una última vez las puntas de pelo rosas con las puntas despellejadas de sus dedos.

Y de pronto el tiempo fluyó normal de nuevo: verla allí en una caja era como no ver. Lo que los ojos veían el cerebro no lo registraba. Quizás haya un término para eso, como una especie de afasia visual. Saratoga quizás lo sabría. No podía diferenciar entre su cuerpo y ella, Eugenia. Rami, a quien llamaba su amigovia, vino y le dio un abrazo largo, pero ni así sintió alivio. Incluso la apartó y Rami, siempre inteligente y discreta supo leer entre líneas que Yunuen necesitaba enfocarse en Eugenia y en nadie más. Sin darse cuenta, Yunuen ya se había comido todas las uñas de la mano derecha. Uñas. Dientes. Le vino a la mente su exposición de graduación: mazorcas hechas de muelas. Había ido a comprarle dientes, sobre todo molares, a los que hacen dentaduras postizas con dientes reales allí por el mercado de La Merced. En esa época muchos artistas trabajaban así. Yunuen apenas estaba en la escuela y pues eso: aprender, aprehender, desaprender, soltar. Diana había dicho que eran piezas dignas de una de sus visiones. A saber si eso era un cumplido. Yunuen pensaba que la había inspirado el trabajo de Eugenia, acompañarla a ver sus ofrendas. A veces miramos las cosas, los objetos, como si tuvieran vida propia, una vida aparte o más allá de la nuestra. Los dientes de esas mazorcas en algún momento le habrán pertenecido a alguien. En alguna boca habrán estado. Pero ya no. Luego esa pieza se leería de forma muy diferente. Los dientes como una de las únicas forma de identificar lo que queda del cuerpo. Ofrendas al fin y al cabo. ¿Pero a quién? Y, ¿por qué?

En el entierro Yunuen seguía viendo la caja sin ver a Eugenia. Qué mundo donde los objetos, espejos, cajas, dientes, sillas, lograban tener mayor esperanza de vida que las personas. Volvió a pensar en la fotografía de la «escena del crimen», en esa fotografía de Eugenia asesinada, la que se robó del expediente, y la injusticia radical de que ese papel impreso de pixeles de color viviera más tiempo que Eugenia. En el momento de su asesinato, su muerte inesperada congeló los detalles de la vida: esos pantalones, la chamarra, el arete, el anillo, la pulsera, sus rasquetas, la pala y la cubeta... Y ese acto de violencia transformó los objetos cotidianos en talismanes: en su ofrenda las piezas estaban numeradas, luego allí mismo en la foto sus propias cosas, objetos, prendas y los casquillos también aparecen numerados como evidencia. Se transformarían en especies de amuletos a través de los que tratarían sin parar todas de descifrar un mensaje, de buscar claves, pistas, leer lo ilegible. Cuántas veces no miró Yunuen esa foto con una lupa, buscando lo innombrable en un pixel. Entre todas, primero Saratoga, Diana y Yunuen y luego las demás que también se sumarían: mirar y mirar el lodo revuelto. Ya muchas se volverían expertas porque no quedaba de otra, otras más sostendrían que haría falta entrenamiento serio para ser expertas. De todas formas, todo lo posible por hacer era más que lo que se haría oficialmente.

Guardaron esa ropa como si pudiera hablar algún día, la cuidaron como se cuida la tristeza vuelta material. Un par de pantalones de mezclilla rayados de sangre chorreada, con las rodillas manchadas de polvo, más suaves que el resto del pantalón y redondas por el uso, dibujando levemente la silueta de las rodillas que contenían, las rodillas de Eugenia, por su movimiento y estar hincada en el trabajo. Cuando detenía los pantalones de la cintura, parecía que se acababa de salir de ellos hace unos momentos: allí cabía su fantasma. Después, Yunuen los fotografió con su mejor cámara: unos pantalones de mezclilla azul claro, desgastados y empapados de sangre. Veló por su sangre también. Hizo de esos objetos sin más valor que el del uso, unos objetos con mayor valor que el de la ofrenda en la que trabajaba Eugenia. Depositó fe en ellos y se volvieron esperanza de que encontraría allí mismo la respuesta a todas sus preguntas.

Quién quién quién quién quién quién quién quién quién quién quién quién quién.

Buscar fortuna en las visiones para las demás y ser tan desafortunada en perder a una hermana. Por qué por qué por qué por qué por qué por qué por qué por qué.

Y cómo sobrevivir. La tarea difícil de la búsqueda. Tal vez las visiones no eran acerca de nada, tal vez Diana tenía que aprender que las visiones eran una posibilidad de apertura. Se estaba agrietando. Tenía el corazón partido. Ese sentimiento preciso de un dolor allí metido. Y qué le quería enseñar ese dolor. En ese momento no estaba para aprender nada, para ver ni para escuchar nada. Y a la vez, así de ciega, quería entender y encontrar. Encontrar a la persona que le había robado a su hermana para siempre. Que le había robado a Eugenia la posibilidad de ser.

Un vaso lleno de otoño, es decir un vaso de lluvia. Un vaso traslúcido mas no transparente. Un vaso equívoco y mojado. Lo ilegible.

Junto al vaso, un tazón lleno de insectos pequeños, con leche, como si fuera cereal. Al moverlo, plumas rojas y grises, un cardenal rojo y muerto se deja entrever. Lo legible.

A Diana el velorio se le hizo lento como una gota de ámbar petrificándose, como el tiempo en ese momento. Quiso cerrar los ojos y no abrirlos nunca. Le quemaban. En ese momento no conocía los aprendizajes de las que sobreviven. No tenía nada. O al menos eso sentía. El velorio era una sala de espera infinita. O más bien para Diana la vida de golpe se había vuelto eso: sobrevivir como la sala de espera infinita hasta que tocara morir también. Llegaron Erme, Jessy y Ceci y se fue a estar con ellas. Las hijas de Erme estaban llorando y cuando Diana las miró a los ojos para saludarlas, vio su miedo y el miedo de ellas como un juego de espejos de esos que se reflejan al infinito. Miedo. Ermelinda tenía el vientre como hundido, como vencido de tristeza. Se le acercó al oído:

«Hija, uno de los vecinos que trabaja de velador en la excavación vio al asesino. Lo vio de cerca. No vamos a decirle a la policía. Allí nos tienen amenazados a todos los que no estamos con la compañía esa. Julio, el vecino, iba en la escuela con Jessy. ¿Verdad, Jessy?».

Jessy no podía escuchar nada de lo que decía su mamá y estaba abrazada de su hermanita, con una mano recargada en el ataúd de Eugenia.

Al pie del ataúd, Paolo, su colega, no se había movido en lo que parecían horas. Hincado, con los ojos cerrados, las manos juntas como en una estampa de santo medieval o de Andréi Rubliov.

Como las tres querían buscarle explicación a lo inexplicable y como no había permiso para cremar a Eugenia porque había sido asesinada, la enterrarían. Así ellas podrían seguir investigando lo que nadie quiso investigar. Todo ese tiempo, Diana sin visión que diera pistas. Lo que sí tenían todas era intuición colectiva y esa intuición les dijo que a Eugenia, dedicada a desenterrar y a excavar, le gustaría estar en una tumba y no esparcida y regada en el mar o algo así que era más o menos lo que Diana imaginaba, en abstracto, que quería que fuera su «eterno reposo». Ermelinda sabía que alguien había visto al asesino. Eso le dio fuerzas a Diana para lo que vendría. Encontrarían al culpable. El culpable: de eso estaba hablando Erme. El cerebro de Diana estaba como desvencijado pero tenía que poner atención. Esto que decía Erme, en pleno velorio, era importante.

«Sí lo vio y le creo. Pero no quiere hablar y lo entiendo. Corre mucho peligro. Todo el mundo tiene mucho miedo. Más después de esto».

Lo vio. Sabía en sus huesos y a pesar de tanta visión opaca que había sido un hombre. Y eso se lo estaba confirmando Erme. Pero la única que sabía de huesos, o algo remotamente parecido al trabajo forense, era Eugenia. La verdad era que no sabía qué hacer, pero lo peor era no hacer nada, como ese primer día.

Pero de a poco sí fue posible hacer: empezaron por el velorio entre amigos, familia, con doña Erme y sus hijas. En esos días, juntar dinero para su tumba y así la enterraron.

Antes nadie pensaba en el dinero necesario para enterrar a una amiga. Ahora ya. Ya se acabó, incluso, el espacio. Ahora: vivir sobre los muertos. Convivir. Conmorir.

Una flor de grafito se abre, cada pétalo se desdobla en su flexibilidad gris y total, adentro hay más grafito y la flor escupe su grafito al aire a volar como polen. La flor escribe el mundo y todo comienza.

Ya de vuelta en casa, Diana se metió en la cama. Saratoga estaba desnuda y había manchado de sangre las sábanas de su cuarto que daba al cubo de luz donde se oía a la vecina gritarle a su perico en bucle: «Eres un perico borracho, borracho». Yunuen había llevado a Saratoga a limpiarse al baño y Diana se encerró en su cuarto. Pero en vez de sentir el alivio de estar allí, se sentía como estar en arenas movedizas. Pateó las sábanas y se fue a encontrar con Yunuen y Saratoga que estaban en playera y calzones en los cojines de la sala. Le sudaban las manos. Las manos nunca le sudaban.

«¿Ves algo?», preguntó Yunuen.

«Quisiera que la tierra me hablara, que algo fuera claro por una puta vez. Y no. Pero el que sí vio se llama Julio. Él sabe».

«Tenemos que ir con él».

«¿Por qué la mataron a ella? ¿Qué no estamos entendiendo?», Saratoga le daba vueltas.

«No se trata de entender. Entender tiene que ver con escuchar y la muerte es todo menos una historia. La muerte es el silencio de un punto final. Es lo que le pone el fin a la historia. Es lo que no estoy entendiendo. Más bien habría que buscar qué otra historia no estamos escuchando.

Tengo que dejar de ver. Tengo que escuchar», decidió Diana.

La oscuridad se junta, se densifica, se materializa. Es una entraña. Una tripa cortada, que se mueve, habla. Me dice algo que debo anotar.

Diana salió de la visión con el sentimiento urgente de escribir pero ¿qué?... El mensaje se quedó del otro lado.

Qué historia en otra lengua debía traducir para entender. Lo que no sabía era cómo contar una historia que ayudara a quedarse en estos cuerpos, en esta vida. Las visiones le hablaban, es decir que hacían que su cuerpo hablara. Su cuerpo marcado. Ocupado por voces otras. Rayado. Las historias y las agujas la penetraban y la atravesaban para contar una historia. Como el corazón partido por una daga. Esta historia con capas, unas visibles, como la epidermis, otras invisibles a primera vista, como la dermis y la hipodermis. Habría que cortar y abrir para llegar a verlas, sus interfaces, sus vasos comunicantes, cortar para llegar allí dentro, al meollo. Esta historia como una lanza, ¿cómo contarla? Diana balbuceaba esa lengua.

Después del funeral, al día siguiente antes del entierro, nos entró la necesidad de que se supiera lo que pasó, más allá de nosotras, del MP o los colegas de Eugenia. Es decir, la familia de sangre de Eugenia: Yunuen decidió ver a la mamá de Eugenia y a Diana y Saratoga les propuso también buscar a Adalberto, el papá de Eugenia. Más todavía después de haber encontrado ese diario, que apenas hojeado estaba lleno de su nombre. Le parecía esencial dar con ese hombre. Diana sabía de algunos rumores, todos desagradables acerca de él, entonces estaba completamente en contra de hacerlo. A Yunuen le costó un largo rato de leerle el diario en voz alta para que accediera. Diana les contó que había rumores entre su madre y sus amigas de que se había ido a vivir fuera y que trabajaba para compañías transnacionales, que hacía cosas de «seguridad». Les contó que después de que se fue empezaron los rumores de que era un vividor, un borracho, golpeador, en fin. Su abuela y su madre decidieron cambiarle el apellido a Eugenia por desconocimiento del padre.

Diana le llamó a su mamá para averiguar cómo se apellidaba el tal Adalberto porque Gilda sabía todos los detalles de esa época. «Reyes», le dijo su madre. Vaya, Adalberto Reyes. Yunuen le escribió a todas las combinaciones de correos imaginables con todas las terminaciones imaginables. Lo buscó en la red, no aparecía nadie más que la página de redes sociales de lo que resultó ser un adolescente con ese nombre en Tamaulipas y otro hombre pero sin foto en el perfil de otra red social. «Su hija murió. Clío no está en condiciones de avisarle y lo estamos buscando. Por favor responda a este correo si le interesa saber más. Vivimos en la Ciudad de México y nos puede llamar al número tal y tal. Su hija se llama Eugenia Rojas Esparza». Borró eso último, corrigió y siguió tecleando a toda velocidad: «llamaba María Eugenia Reyes pero su madre le cambió el nombre después de que usted se fue y no volvió. Estamos al pendiente de su respuesta». Les escribió a todos correo tras correo, mensaje directo tras mensaje directo. Varios rebotaron en seguida como inexistentes. La mayoría nunca contestó. Un señor en Colombia en seguida respondió que él no tenía hijas y que no volviera a contactarlo.

También Yunuen se había encargado de llamar al panteón. Recordaba estos pasos de cuando enterraron a su abuelo Jano, su pariente favorito. La funeraria transportaría el cuerpo de Eugenia. «El cuerpo de Eugenia», la sintaxis de la muerte es rara. Porque ya de pronto se dio cuenta, con horror, que ya no dijo «Eugenia». Ya no pudo decir Eugenia. Al mismo tiempo, seguía siendo su cuerpo, aunque ella ya no era más. El cuerpo. Nuestro cuerpo. Su cuerpo. Al llegar, los encargados del panteón les mostraron un lote cerca de un eucalipto. En seguida Diana empezó a discutir. Se le estaba quebrando la voz. Estaba teniendo una pequeña crisis y Yunuen y Saratoga se preocuparon de que le fuera a venir una de sus visiones. Los encargados del panteón, un hombre muy mayor con una gorra de un equipo de beisbol y el que parecía ser su nieto, un adolescente esquelético con cara de aburrición, suspiraron casi al unísono. Le ofrecieron otro lote que estaba preparado y disponible cerca de un fresno. Diana seguía hablando hasta por los codos, que no quería que fuera un eucalipto porque tenía que ser algo endémico. Lo mejor hubiera sido una jacaranda. Saratoga le recordó en voz baja que las jacarandas tampoco son endémicas y que el fresno estaba bien. Esos detalles, esa necedad, le permitían a Diana aferrarse a la vida. Las llevaron hasta el nuevo lote. Yunuen les avisó a los de la funeraria que trajeran a Eugenia. Al cuerpo de Eugenia. A Eugenia. A ese hoyo. Allí, entre todas miraron cómo bajaron el ataúd sencillo de pino. Solamente eran las tres. No como el velorio. Esto tenía que ser de familia cercana. Saratoga cantó. Cantó y cantó. Su voz como un hilito entre la vida y Eugenia. Entre arriba y abajo, entre el aire y la tierra. Ninguna más dijo una palabra. Ninguna quería que ese hilo que tejía Saratoga se disipara por nada de este mundo. Las tres se tomaban de la mano delante de la cuarta. Tres mujeres jóvenes frente a un hoyo. ¿En qué mundo estaba bien eso? ¿En qué mundo?

Ese día era un entierro. Enterrar. Algo tan definitivo, al parecer. Una caja en un hoyo en la tierra. Dentro de la caja, Eugenia. Eugenia. Cómo es que juntarse las cuatro fue contingente y accidental y luego ya la vida sin ella parecía inimaginable. Y sin embargo...

Más tarde, Yunuen, que parecía una máquina incansable, se fue a ver a Clío. De dónde sacaría tanta energía. Dejos de disciplina militar, tal vez. De salida a ver a la madre de Eugenia, Yunuen le volvió a preguntar a Diana sobre lo que Ermelinda le había contado en el velorio de la persona que vio al asesino. Diana repitió lo que dijo Erme. Yunuen se fue con ese ofrecimiento, algo, para ver a Clío.

Quién sabe cuándo había sido la última vez que se hablaron Clío y Eugenia. Quién sabe por qué Yunuen decidió ir si casi ni la conocía y seguro Clío ni la reconocería. Diana se negó a acompañarla, además estaba segura de que Gilda lo haría pronto. La verdad era que los espacios institucionales le daban pavor. Entonces Yunuen fue sola. En la recepción la mandaron con el administrador, un doctor con bigote de Emiliano Zapata, hasta eso bastante amable. Yunuen traía el acta de defunción de Eugenia, ya medio arrugada. Un comprobante de domicilio con el nombre de Eugenia y otro con el suyo, como tratando de justificar por medio de papeleo que vivían juntas y que era lo más cercano que Clío tendría. El doctor apenas y miró los papeles y dijo que sabía que Eugenia vivía con amigas. Gilda, quien era la única que visitaba a Clío de forma regular, lo había mencionado con ligero tono de reproche. Le dijo a

Yunuen por cuál pasillo y en qué número de cuarto podía encontrar a Clío, que casi nunca salía de su habitación. Yunuen le dejó su número de celular en caso de cualquier emergencia. Le dejó uno de los comprobantes de domicilio y el doctor fotocopió el certificado de defunción. Le dio una fotocopia extra a Yunuen. A veces la ternura se asoma detrás de la burocracia.

Yunuen entró despacio al cuarto de Clío. La piedra de dolor en su barriga rodó de un lado a otro. Tocó en el marco de la puerta como pidiendo permiso para entrar. Nada. Se acercó y vio a Clío acostada de lado en su cama. Miraba hacia una pequeña ventana por donde entraba una luz blanca y tenue de día lluvioso. Pero no tenía la mirada perdida. Así se la había imaginado Yunuen: como ausente. Pero no. Allí estaba, con la mirada lúcida y afilada. Yunuen se sobresaltó y volteó su mirada hacia otro lado. Había una silla para esas visitas que casi nunca venían. Yunuen la arrimó frente a la cama de Clío. Era una silla demasiado chica y fuera de proporción. Le habló de Eugenia. De su ofrenda. De que murió. No pudo o no quiso entrar en detalles. Clío no hablaba. Hace quién sabe cuánto que no hablaba. Yunuen se sacó sangre de uno de los dedos de la otra mano de tanto morderlos. Miraba como lucida ese otro mundo de la lluvia y la ventana, un mundo intacto por las palabras de Yunuen. En ese mundo esta mujer ya no era madre de nadie, pensó Yunuen. Le dijo que alguien había visto al asesino. «Lo vamos a encontrar», fue su escueta despedida. Le dejó una copia de la foto que había hecho de los pantalones de mezclilla de Yunuen. Una foto de un fantasma: un doble fantasma. Nunca sabría si Clío la miró, la tiró o entendió mejor la foto que esas palabras. Lo que sí sabía es que no existe la palabra para ser huérfana de hija, pero ahora tendría que inventarse una forma para nombrar ese dolor. El nuevo léxico de la vejación, para no olvidar, para que quede grabado.

Al salir, dejó también a la enfermera y a la recepcionista todos los datos de las tres, por si algo se ofrecía con Clío y, de todas formas, ya tenía el doctor toda la información sobre lo de Eugenia, que era poca. Le preocupó que algo sucediera con Clío y no saber.

Madreconunahijaqueseleadelantóalamuerte. Mamá, a saber si alguna vez lo fue, más allá de haber parido a Eugenia. Igual eso es todo: el parto, el principio y el fin de la palabra «madre». Pero el cuerpo de Yunuen le decía que no era así, aunque a Clío no se lo preguntó. Su mirada la dejó sin más que decir y se fue, dejándola sola con su silencio y la muerte de su hija.

Creían que nos iban a callar. Sofocar. Cortar las lenguas. Pero entre nosotras la comuna cuenta cuentos. Y aprendemos a escuchar. A grabar, documentar. Si se pierde nosotras lo encontramos, nos corresponde. Así la comuna se excava, vela y revela. Se rebela.

Somos intermediarias. A veces llegamos sin ruido. Somos bisagras, goznes, articulación, charnelas, ensambles, juntas, pernios. Otras somos la piedra en el zapato, somos el pelo en la sopa, el nudo en la garganta. ¿Nos ves, nos oyes, nos sientes?

[descripción de objetos contenidos en una caja de plástico sellada junto con las hojas de un cuaderno de «visiones», los «apuntes de la comuna» y páginas del «diario de Eugenia» encontrados en la gruta A túnel 5]

Una (1) caja de cerillos La Central Clásicos de Lujo

Es amarilla con una ilustración de la Venus de Milo de mármol blanco a la izquierda, en el fondo, el Partenón (que no era dedicado a Venus sino a Atenea), y abajo a la derecha una locomotora negra saliendo entre humo neblina o arena, desde el puerto de Veracruz circa 1885 en dirección contraria a nuestra lectura de derecha a izquierda.

Dentro: no hay cerillos. Hay unos huesitos diminutos y delicados. Frágiles.

¿De un ave? ¿De un pequeño reptil? ¿Estapedio y otros huesecillos de un oído ya sordo para siempre?

Cuatro (4) calaveras de alfeñique

Envueltas en papel periódico. Los nombres que generalmente llevan en la frente se han borrado. A dos les queda un papel metálico, uno en una de color naranja, el otro de color azul, ya desteñido por el tiempo. En algunas secciones el azúcar se ha desmoronado, en otras se ha vuelto tan dura como una piedra. Prácticamente se les ha borrado la forma de la nariz y las cavidades orbitarias. Una de las cuatro está grisácea, quizás por el papel periódico. La mayoría de la decoración de filigrana de azúcar se ha perdido.

Una (1) oreja de cochino (Sus *domesticus*) disecada

Envuelta en varias capas de toallas absorbentes de cocina y una capa de papel encerado. Al abrir esta última, la oreja primero despide un leve olor a isopropanol, seguido por un hedor más ¿feroz?, pero tenue.

En la epidermis presenta varias letras del alfabeto tatuadas en la tipografía del tipo marinero romanesca, mitad rellenada mitad no, con patines o serifas, como escamas de pescado.

Esperar y esperanza comparten la misma raíz. Reparar, disparar, pariente y parir también. Resguardar, en la mira. Y en la búsqueda. En la reflexión. Potencia y posibilidad. En cuestionamiento y construcción.

«Discúlpame por no tener más palabras».

Así le hablaba a la puerta una madre que estaba en los escalones de la entrada al edifico de la Fiscalía. «¿Dónde está mi hija? Son mis únicas palabras».

Era una mujer de unos cincuenta, atractiva, con los labios pintados. Le había dado la vida para ponerse maquillaje. Si no, probablemente ni la verían. Con algo había que llamar su atención. Diana, Yunuen, Saratoga todavía tenían juventud. Al rato quién sabe. Con la espalda recta y la voz ronca, la mujer se sentó en los escalones. Seguía mirando hacia los ventanales y las puertas de acceso, que era lo mismo que decir que miraba la nada.

Diana se sentó con ella.

«¿Qué pasa, hija?».

Hija. La volteó a ver. Podría, en efecto, ser su madre. Recordó que a su madre no la había llamado esta semana.

¿Ni la pasada? Hace días o ya semanas que no veían a Diego ni a Gabriel tampoco. Diana había estado prácticamente viviendo frente a este edificio pintado de verde caca de pato y Saratoga y Yunuen se la vivían dentro. Había series de luces en un árbol cerca de la entrada, y dentro, adornos navideños, como si eso pudiera hacer de ese lugar algo más humano. Afuera hacía cada vez más frío. Soplaba un viento que se metía hasta los huesos y por las mañanas la neblina o la contaminación casi se podían cortar con la espada como de carta de tarot de la estatua de la mujer representando la justicia erguida casi como una burla frente al edificio. Ya también otras habían puesto sus campamentos por sobre el pasto escarchado frente al edificio. Cada vez más. Muchas venían de lugares todavía más distantes del estado que ellas, que con todo y todo, venían en coche desde la ciudad.

«Es mi hermana», le dijo Diana.

«¿Tampoco aparece?».

«La mataron. Pero ¿quién? Nos dicen puras mentiras».

«Así hablan ellos. Quieren que nos vayamos. Pero yo vengo todos los días. Somos muchas las que venimos».

No le dijo todos los días desde hace cuánto. ¿Tendría Diana la fuerza de ir todos los días a ese lugar durante años? ¿A verles las caras a esos tipos? ¿A que le dijeran mentiras a la suya? Todos los días.

«¿Desde cuándo?».

«Hace tres años».

Las palabras cayeron como una piedra al fondo del pozo de su estómago. Todos los días. Tres años. A hablar con las puertas. A gritarle a los edificios. A enloquecer. O justamente a no enloquecer. Diana buscó a sus otras hermanas con la vista, pero no se movió de junto a la señora.

Se quedaron así, habitando el mismo espacio un rato. Sin conocerse, pero compartiendo un dolor similar. Después de unos minutos, la señora giró y Diana volteó a verla. Encontró una mano extendida.

«Marta».

«Diana».

La señora le tomó la mano y la tapó con su otra mano, como haciéndole un albergue. El resto de Diana se descompuso y se le salieron las lágrimas. Hacía semanas que no lloraba. En ese momento ya no sabía si lloraba por Eugenia, si lloraba por ella misma, o por la hija de la señora, o si lloraba por no saber si podría ir todos los días tres años seguidos a pedir respuestas. Se sintió, otra vez, como una traidora. La traición de la que se quedó viva. Imposible imaginar lo que sentía Marta, quien ya en ese momento estaba abrazando a Diana. Su abrazo más que aliviarla, le recordó contenerse. Se barrió las lágrimas de la cara con la mano como para alejar el dolor igual. Marta se quedó callada. Diana también. Se quedó allí en sus brazos un momento, callada, ya sin llorar, como si se conocieran.

Y es que los dolores se reconocen.

«¿Ya comiste?».

«Estoy esperando a mis amigas». Diana se miró las manos y las muñecas tatuadas, con cicatrices. Se bajó un poco las mangas, un reflejo común en frente de desconocidos.

«Venimos acá para exigir que se haga justicia en el caso de Eugenia. Eugenia es mi hermana, no de sangre, pero sí de todo lo demás. No salen y no salen».

«Ese edificio se traga a las personas. Al rato las escupe».

Marta se espantó una mosca invisible. O algún recuerdo. Y se puso a buscar algo en su bolsa. Sacó un pan. Lo abrió por el medio metiéndole los dos pulgares con las uñas perfectamente rojas como si le fuera a sacar las entrañas.

Tomó unos quesos que traía, también perfectamente envueltos y le dio uno junto con una mitad del pan a Diana.

«Un tentempié».

Cada vez que salía alguna mujer del edificio Diana pensaba que eran ellas. Salían muchas mujeres de ese edificio. Pero no, seguían sin salir. Ese día, sentada allí junto a Marta envuelta en su chamarra y con doble calcetín, empezó a notar que eran muchas mujeres las que entraban y salían de allí.

El gorrión se conjuró de la ausencia misma para venir a picotear las migajas del pan.

De pronto las puertas se azotaron mudamente. Salió una joven, pero la llevaba del brazo un señor de chamarra de cuero. A Diana le llamó la atención el paso con el que iban. Como inclinados hacia delante ante un vendaval invisible. Bajaron las escaleras así, juntos, y él la metió a un coche que se arrancó. Algo no cuadraba. Era algo del hombre aquel. O de ella que traía los zapatos sin poner bien. Diana se dio cuenta de eso hasta que ya se había arrancado el coche.

Marta siguió su mirada.

«Policías vestidos de civil. Así se llevan a algunas. Para asustarnos. Pero a mí, ¿ya qué susto me van a sacar?».

Diana se preocupó por Yunuen y Saratoga. Sabía, por lo que le había dicho Erme, que había un hombre involucrado. Pero Julio, el vecino que lo vio, tenía mucho miedo de hablar. Amenazas. Seguían investigando por la vía oficial en lo que podían visitar a Julio, que todavía no quería ver a nadie. Yunuen quería ir luego luego a hacer sus propias investigaciones. Saratoga quería ir por la vía institucional, que para eso estaban las chingadas autoridades. Diana les dijo que hicieran ambas, pero en realidad hasta entonces se habían movido principalmente por la vía institucional. Diana trató de respirar profundo. Marta adivinaba todo lo que estaba pensando. A eso se llama experiencia.

«¿Cuánto tiempo llevan en esto?», pausó brevemente, y luego agregó, «¿Ustedes han traído alguna evidencia?».

«Hasta ahora no tenemos más que la que ellos mismos nos dieron. Y que dicen que vieron a un hombre. Pero nada más».

«Entonces no tengas miedo. No se las van a llevar. Hasta que no haya algo que les preocupe a ellos, no les hacen caso».

«¿Y tu hija?».

«Se llama Luz. Es un poco menor que tú, así flaca como tú y siempre con hambre. Muy tragona. Se fue un día a hacerse unos estudios de sangre. Ya no volvió. El laboratorio es a unas cuadras de la casa y sí llegó allí. Al salir ya nunca regresó. Por cuestiones de privacidad ni me quisieron dar sus resultados los del laboratorio, ¿te imaginas? Solo me podían informar que sí se hizo estudios ese día en ese lugar, eso como favor por la situación, me dijeron. La policía nunca quiso ir a preguntarles a los del laboratorio, aunque fueron los últimos que la vieron viva. Prefirieron hostigarme a mí y a preguntarme cosas de la vida personal de Luz y de la mía. Porque como soy soltera…». Se mira las uñas bien pintadas. «Pero yo voy a encontrar a mi Luz». Se limpia con un gesto mecánico las migajas de la boca, con cuidado de no correr el labial. «¿En qué momento no me di cuenta? ¿En qué momento pude haber hecho cualquier cosa para que esto no le pasara?». Marta repasaba esas palabras como quien pasa el dedo en un surco ya bien pulido en la madera con ires y venires, pero al mismo tiempo con el mismo esfuerzo de la primera vez que la uña rasca la madera.

Diana se quedaba afuera por si acaso le venía una de las visiones. Ese día vino Marta. Se fue la de los zapatos mal puestos. O se la llevaron.

Diana había escrito el nombre de Eugenia en su cuaderno. Escribir los nombres una y otra vez, una y otra vez en los muros, en las calles, en papeles, fotocopias, flyers, mantas, en las pantallas de aparatos, sobre tela, plástico, con pinceles, plumones, aerosol, estampas, recortes, esténcil, con pluma, lápiz, hasta con sangre. Cómo hacer de la memoria una prisionera. ¿Y cómo no? Sacó el cuaderno y se lo enseñó a Marta. Le pidió que escribiera allí el nombre de su hija. No lo sabía entonces, pero estaba empezando una lista, una de tantas, un memorial. Pero no para hacer de la memoria de nadie su prisionera, sino más bien para buscar cómo librarla, librarse, liberarse. Liberar a través de remembrar. Fue una de esas intuiciones. Allí en su hoja de papel color hueso, junto a Eugenia estaba ya Luz.

El gorrión dio unos brincos y emprendió el vuelo.

Peces hierven en el agua del río. Peces rojos, agua negra. A punto de estallar de abundancia. Sobreabundancia. Peces sobre peces sobre peces y agua profunda de peces. Hervidera.

Acá tenemos los cuadernos todavía. En las semanas y meses que vendrían se juntarían los nombres.

Hubo mañanas que costaba mucho trabajo ir hasta la Fiscalía, como una mañana de primavera en que la noche anterior habían armado una gran fiesta en la comuna para celebrar el cumpleaños de Eugenia. Había sido una decisión difícil. Desde un mes antes de la fecha, las discusiones entre las tres, de Rami y de algunas otras amigas de Eugenia a quienes llamaron, iba y venía entre la idea de que no había nada que celebrar ni festejar, que de hecho sería raro hacer una fiesta, hablar de sentirse desanimadas y con más ganas de llorar que de organizar nada hasta el sentimiento de querer celebrar su vida, bailar y festejar con los cuerpos como la mejor manera de honrar su memoria, de mantenerla y mantenerse vivas y en resistencia ante tanto olvido y tanta muerte. Esa sensación fue echando raíz. Empezó porque, sin ganas de hacer fiesta, entre Diana, Saratoga y Yunuen se habían puesto a juntar todas las canciones favoritas de Eugenia en una lista y de pronto ponían una u otra y una movía un pie, los hombros, hacía un pasito de baile o sacaba las nalgas en un breve destello de twerk. Así, decidieron festejar la memoria y la vida de Eugenia. Porque a veces la fiesta también es el lado B del terror. Todo este tiempo después, es difícil recordar el nombre de todas las que fueron porque las que llegaban al departamento y se iban y porque ha pasado tanto tiempo y tantas ya nunca volverían a verse, pero esa noche estaban Sofía, Violeta, Pía, Marta, Yatziri, Valeria, Rami, Mona, Carla, Dani, Marina, Naye, Bren, Andrea, Ytzel, Sara, Yola, Vera, Lía, Bali. José pasó a dejar unas botellas de vino y a bailar un rato y se fue temprano porque era el más madrugador. Se escuchaban como cascabeles las chelas entrando y saliendo del refri de la cocina.

«Saratoga, tú pon música», le dijo Diana abrazándola. Rami y Yunuen no dejaban de besarse, sentadas en el sillón, luego encima de los cojines del piso, luego en una esquina paradas.

Empezaron a bailar. Después de unas cuantas rolas, las que estaban sentadas se pararon, empujaron sillones, mesas, estaban una tan cerca de la otra. Se hacían cariños, bajaron culos al piso y de regreso según lo que sonaba. Luego manos arriba, luego sacudiendo cabelleras. Vivas, vivas. Con rodillas dobladas, con nalgas afuera, cabezas rapadas, trenzas volando como hilos de papalote, vivas. Con brazos tatuados, morenos, claros, brazos brillando de sudor reflejado como diamantina, vivas; algunas enamoradas, otras queriéndose, otras más en vías de conocerse, vivas. Sonreían tanto que a Yunuen le dolieron los cachetes, se les estiraron las espaldas, se les apretaron los muslos, olía a sudor, les dio vueltas la cabeza. El cuerpo que baila. Ese cuerpo que se entiende a sí mismo, por fin, bailando. Ojos cerrados. Mano tendida. Vulnerable. Bailar hasta reaparecer, hasta dejar de ser una, u otra, ella, o cuerpo. Persona. Individuo. Así estaban, vivas: respirar, jadear, mover el cuerpo juntas, al ritmo mineral y cardiaco de los bajos. Algas bajo el agua, todas fundidas en una gran ola.

José pasó por ellas a la mañana siguiente. Él estaba fresco y a ellas les costó salir sin despertar a las que seguían durmiendo, aunque algunas incluso más madrugadoras ya habían lavado trastes, hecho café y se habían ido a trabajar o a seguir con sus casos y búsquedas. Quizás sin José y su puntualidad no hubieran logrado ir tan cotidianamente a la Fiscalía. Era un ritual agotador y aparentemente vacío. Ya dentro de ese edificio, Saratoga estaba sentada en unas sillas que hacían que le doliera cada hueso. En esperas infinitas entre una oficina y otra, entre un funcionario y alguien más que no le iba a decir nada, Saratoga se acordó de que de niña le gustaba robar. El ambiente de vigilancia la puso a autovigilarse. Le dolía la cabeza. Fue por una botella de agua a una maquina y volvió a su silla. Saratoga ya había superado toda su voluntad de robar para entonces. A sus papás no les gustaba meter su dinero al banco y tenían escondites por toda la casa. Además su mamá tenía los suyos y su papá los propios. Tenía trece años un día que se peleó con ellos después de una de sus fiestas eternas. Le dijeron que era una conservadora, el peor insulto que podían imaginarse. Y ella decidió automáticamente provocar su imaginación. Buscó los escondites que sabía estaban más rellenos y robó y robó dinero, todo de un jalón una mañana en lo que sus padres crudeaban en las hamacas. Y luego sin avisar se fue en taxi hasta Cuernavaca a la juguetería más grande, a la que ellos nunca la dejaban ni entrar y allí compró todas las Barbies más feas que pudo cargar en dos bolsones. Se regresó haciendo paradas en todas las escuelas que tocaran en el camino y afuera iba dejando montoncitos de esas cajas rosa mexicano con sus muñecas rubias dentro como pirámides de sarcófagos. El taxista fue tan paciente y discreto que nunca preguntó nada. Ella le regaló unas cuantas por si le servían para alguien. Sus papás se dieron cuenta días más tarde que leyeron una nota del acto extraño en las escuelas de los municipios aledaños, y del propio, y Saratoga les dijo «Esa fui yo». Se levantaron y fueron a checar los escondites de sus ahorros, y encontraron mucho hueco vacío. No fueron ni para castigarla. Le dieron una lección de economía aburridísima, le regalaron unos libros de situacionismo mucho menos aburridos. En esos años, recordó, reacomodándose allí en esa silla dura, todavía se podía subir a un taxi una niña de trece y regresar a su casa, en estas épocas no hace falta imaginar qué les pasaría, basta leer las noticias. Suspiró y cerró los ojos.

Se chupaba el mechón de aburrición y cuando no tenía el pelo en la boca, tarareaba. Se había vuelto adicta al parche de nicotina porque pasaba largos ratos sin fumar. Horas y horas de espera, de aguantar a que volviera alguien de una junta para que luego la mandaran con otro fiscal, otro policía, otro perito, en otro piso, a entregar otra declaración, otra fotocopia. Horas que se estiraron en semanas en las que las personas de esas oficinas pensaban que Saratoga «padecía de sus facultades», como ellos mismos decían. Por imaginación, Saratoga nunca ha parado, salvo cuando era novia de Francisco. Con él sí se le agotó la voz, la imaginación, todo. Francisco le hizo cosas imperdonables y le dijo cosas imperdonables y luego le pidió a Saratoga que hiciera como que no habían pasado o que habían sido accidentes, malentendidos. Para hacer como que perdonaba, entonces sí suspendió su imaginación. Suspendió todo. Se borró ella solita para hacer no solo como que nada pasaba, sino hasta como que ni ella misma pasaba. Pero lo que alegremente sí pasó fue el tiempo, hasta que gracias a las hermanas, gracias sobre todo a unas largas conversaciones con Eugenia sobre el valor de la ofrenda versus el sacrificio, terminaron.

En el fondo del pasillo se oyeron unos gritos que la sacaron de sus elucubraciones. Mujeres. Hombres. Alegando. Discutiendo. Gritaban. Una puerta que no podía ver se azotó. Lo que sí pudo ver es a dos mujeres, mayores, una vestida con pinta de abuela y la otra con el pelo peinado con laca y traje, sentadas frente a otra puerta de otra oficina. La que parecía abuela reforzaba el estereotipo porque tejía con sus agujas sin parar, pero ya que Saratoga la observó, miró que sus dedos eran agilísimos, como los de alguien mucho más joven. Se movían quitando el estambre y pasándolo del otro lado de las agujas como una abeja limpiándose las patas de polen. La otra miraba su celular y enviaba mensajes. Tenía unos archiveros gruesos en las piernas. Cuando ella subió la mirada, que no había parpadeado ni con el azotón de puerta, Saratoga desvió la suya a la punta de sus zapatos rayados. Reaccionó como si fuera culpable de algo, ¿de qué?, ¿de mirar con curiosidad? Con esa reacción entendió que así de insidiosas son las instituciones, van cambiando hasta los cuerpos.

Habían establecido un sistema: Diana siempre se quedaba en la entrada, en los escalones o en los alrededores del edificio. Como en cualquier momento podía venirle un trance de visión mejor hacía preguntas afuera, platicaba con otras, las invitaba si necesitaban un espacio para descansar, o dormir, a la comuna. Marta fue una de las primeras en quedarse. Un día, llegó a cenar con Diana, otro se quedó a cenar y dormir, y así hasta que algunas noches cuando terminaban demasiado tarde en la Fiscalía y sabía que iba a tener que estar allí toda la semana, se regresaba con las tres amigas y se quedaba con ellas varios días seguidos. Así poco a poco empezaron también a pensar juntas, a exigir juntas, a buscar juntas, a acompañarse una parte del camino. Dentro de la Fiscalía, Yunuen se iba a hacer diligencias y pesquisas por su lado, con una actitud completamente diferente a la de Saratoga. A ella le salía lo hija de militar y lo verdaderamente punk. Exigía, encaraba, insistía usando los argumentos memorizados de Rami, que prácticamente ya vivía en la casa junto con las demás que también buscaban y buscaban.

Un teléfono sonó dentro de la oficina en la que no atendían a Saratoga, contestaron, la miraron sin verla y se levantaron a cerrar la puerta en su cara. Sería otro rato de espera antes de que la atendieran y eso si corría con mucha suerte. La mujer del tejido la volteó a ver con cara de paciencia, Saratoga se levantó de la silla y estiró las piernas, la espalda encorvada y se acercó a ellas.

«Buenas».

La mujer arreglada la saludó con un gesto de la cabeza y siguió pegada a su aparato.

«Buen día, niña. Y tú a quién buscas», le respondió la abuela como si ya supiera la respuesta y como si no tuvieran todo el tiempo del mundo para platicarlo. Quizás eso es ser mayor: saber llegar a donde debemos ir sin tantos rodeos.

Le contó de Eugenia. La señora le contó que ella buscaba a su hija pero que solo podía hacerlo mientras sus nietas a quienes ella cuida como si fuera su madre estaban en la escuela. Le contó que una asociación juntó dinero para su abogada: la señaló con las agujas. «No muerde», le dijo en voz bajita y guiñó el ojo. Le dijo que su corazón roto se divide entre buscar a su hija y cuidar a sus nietas «para que a ellas no les vaya a pasar lo mismo». «Ya aprendí a leer el expediente», le cuenta mientras sigue tejiendo, aunque son palabras raras, «allí esta todo lo que las autoridades hicieron, lo que no hicieron y lo que pudieron haber hecho». Miró hacia la puerta de la oficina frente a la que espera y suspiró. «En el fondo, por más que haya simpatía y condolencia, nadie sabe lo que es estar en la piel de alguien más. Estamos vivas, y ya...».

Saratoga sintió dolor de escuchar eso, como si le acabaran de sacar el aire. La mujer se lo dijo a Saratoga o a ella misma, quién sabe.

«Estamos vivas. Vivas y somos muchas. Pero nadie nos puede decir qué es la muerte. Eso lo aprendemos solas». Terminó. Todo lo que decía iba acompañado del *cliclic* rítmico de sus agujas.

Saratoga se rascó el parche de nicotina, le peló una esquinita. Habían pasado meses y todavía no sabían qué le pasó a Eugenia la noche que la asesinaron.

«Brillan en la noche», dijo.

Saratoga la miró desconcertada. «¿Qué?», preguntó.

«Las agujas. Son fosforescentes. Así cuando no puedo dormir por estar pensando en Rosalba, puedo tejer. Me calma. Y no molesto a mis niñas, que se tienen que ir a la escuela temprano. Tienen que descansar ellas al menos. Eduqué a mi hija duro. La eduqué estricto. La eduqué para el mundo como es. Y mira cómo me salió». Se le fue una puntada, bajó la mirada para enfocarla en su estambre. Las agujas retomaron su ritmo. Esas agujas que brillaban en la noche a Saratoga le recordaron que a veces en el desierto se ven unos gases fosforescentes que dicen que salen de huesos enterrados allí. Se preguntó cómo es que entonces no estábamos flotando en gas que resplandece de colores todas las noches.

«A mis nietas las estoy educando para el mundo como quisiera que fuera. Para otro mundo que no es el que estamos padeciendo hoy. A ver si ahora sí nos sale mejor todo». Le dijo antes de que Saratoga volviera a su silla.

Clicliclic palabras tejidas, tecleadas, palabras digitalizadas, palabras grabadas en la piel como en una cinta. Palabras gaseosas, incandescentes, gaseadas, indecentes. Y cuando te cansamos y te tapas los ojos y los oídos, ¿escuchas cómo resonamos allí dentro como el mar dentro de una concha? Y sí, también somos eso que deja el mar de fondo cuando entra lejos y se va: regalos, basura, desechos, tesoros, un olor que pica la nariz, aquello olvidado que nadie sabía que debía recordar.

Leemos como leían siempre las palabras de Eugenia. Bajo tierra también, pero de este lado, el de la vida:

> Abeto (si te invento un apodo, será que te hago más mío, más cercano, más sólido):
>
> En Teotihuacán siempre hay algo en juego. Mucho. Cuando Leopoldo Batres estuvo acá en el siglo XIX lo que estaba en juego era la arqueología mexicana misma. Se debatía entre aventura exploradora y depredación inconsciente tratando de mutar en ciencia seria. ¿Y qué hay de lo que hacemos hoy? ¿Cuidar, robar, entender, ficcionar? ¿Y qué no la arqueología de Estado (de la que formo parte, lo sé, pero con la que me peleo también, cómo no) no promulga un tipo de ideología? Y la arqueología como ciencia otra más. Pero, ¿qué hay de la pasión? Dónde acomodo todo lo que siento cuando estoy sudando allá abajo en cuclillas, cuando salen más semillas, más maravillas, más claves.

Un faro para mí es la labor de Linda Manzanilla sobre el barrio de Teopancazco en Teotihuacán. Justo lo que implica todo lo que allí demuestra es que esto va más allá de lo que creemos, que hay que repensar lo que se cuida, repensar el territorio y sus fronteras. Repensar lo que quiere decir incluso la migración. Cuestionarlo todo. Desde dónde vemos, hasta lo que podemos ver. Me viene a la mente la pantera del poema de Rilke que «Con su mirada, cansada de ver pasar / las rejas, ya no retiene nada más. Cree que el mundo está hecho / de miles de rejas y, más allá, la nada». ¿Cómo salimos de la cárcel de nuestra disciplina? ¿De lo que nos permite ver y, por lo mismo, todo lo que nos oculta? Ver la noche, entender el túnel como el inframundo, entender el mundo como un jaguar. Jaguarizar la investigación.

Nunca me he llevado un solo objeto con los que trabajo. El otro día, estaba sola. Casi nunca sucede. Casi nadie roba. Allí estaba: sola. Frente a mis colmillos de jaguar, cuentas y cuentas y caracoles esgrafiados. Más allá, encontraron espejos de pizarra y pirita labrados, Paolo es el responsable de esos objetos. La pirita está por todas partes acá abajo. También hay puntas de obsidiana pero en miniatura, perfectas, más chicas que la punta de mi dedo, hay miles de semillas, muchas de tunas, hay pedazos de madera, canastas que sobreviven y están a punto de deshacerse, pelotas de hule. Es un mundo de cosas. Tomé una cuenta de las que ya había desenterrado y limpiado. Una entre cientos de cuentas de piedra verde. La sostuve frente a mis ojos: jamás la revendería, jamás lucraría con esto. ¿Has oído hablar de los grafiteros de la antigüedad? Dejaban sus rastros, quejas, datos rayados en el santuario de Artemis en Avlidea, en el Valle de los

Reyes en Egipto, en Pompeya, ¿será que acá también hay grafiti y que no sabemos todavía leerlo? Hoy resulta que ese supuesto vandalismo nos dice mucho de la época en la que vivieron, de la vida cotidiana. Que son testimonios. *Vini, vidi*, y a la verga. Seguro en esa época les cortaron la mano o un dedo por haberlo hecho. O no. Al final esas pequeñas historias se quedan inscritas en el margen de las grandes. Pienso en la marginalia de los monges copistas medievales. Vuelvo a pensar en Baldwin. Yo necesito que un rastro de esto se quede conmigo. Al revés de esos grafiteros que recuerdan las pequeñas historias dentro de lo grande, esta pequeña cuenta tiene tanto peso que me puede anclar, para no desaparecer. Para sentir que hay algo del pasado que me aferra a esta tierra. Ya sin mamá, sin ti, y lejos de mis hermanas de comuna hay días que siento que me empiezo a volver transparente. Aprieto la cuenta en mi mano con una petición: que me recuerde quién soy y por qué hago lo que hago. Que estoy aquí, rascando la tierra para dar fe, ser testigo que aquí dejaron todo esto.

La meto en mi bolsillo a toda velocidad. Dentro de su nueva cuevita oscura, la paseo lentamente entre mis dedos, suave y pulida, una cuenta entre miles. Tallada a mano, sin metal, sin nada más que otra piedra. Piedra con piedra hasta hacer una cuenta, cuenta con cuenta hasta hacer un collar. Hay veces que me siento cuenta, una entre miles. Igualita a todas. Con un hoyo en medio. Lista para que me atraviesen. Me sumen, me ensarten.

No sé por qué sentí la necesidad de confesarte eso. Voy a devolver la cuenta. Esa noche, la puse junto a mi cama, debajo de mi almohada, dentro de mi estuche de aretes y demás. Me tomé una de mis pastillas. La cuenta no se halló debajo de mi almohada, no estaba cómoda allí. Pobló mi noche. Su lugar es otra parte. Lo mismo la noche después y la de hoy. Quizás así se incomoden todos esos objetos en los museos y bodegas. La agencia de las cosas, ¿quién las define así: «cosas» «objetos»? ¿Y si fueran sujetos? Quizás en las bodegas hagan insurrecciones nocturnas y guerras floridas. Yo acá no pude dormir ya otra noche más. Me doy cuenta: la cuenta. Es una entre miles y mira cómo me pone. Tomar una brocha o uno de los cajones donde guardamos objetos. Coleccionar algo, recolectar algo. ¿Pero qué hay de lo irrecuperable?

No necesito esa cuenta. Mi cuenta es esta palabra. Lo que aquí cuento. Este es mi grafiti, estas patas de araña en mi cuaderno dan fe de mí. Me vuelvo visible a mí misma por ratitos. Testimonio de que aquí estoy. Baldwin también dice justamente que el lenguaje incontestablemente revela al hablante. Pero de forma más dudosa intenta definir al otro, otro que se resiste a ser definido por un lenguaje que jamás lo ha reconocido. No tengo *lingua franca* contigo, no hay lenguaje posible entre nosotros y este es un intento de reconocimiento de mí hacia mí, pasando por el espejo roto de tu nombre. Ya no puedo no entenderme a mí misma, ese hueco, esa rasgadura me ha costado demasiado. Cómo puede ser tan revelador y doloroso a la vez este palabrerío. Mi cuerpo expuesto a mis propias palabras vueltas como si de otra vinieran. En estas páginas, navego mi propia capacidad para interpelarme. Intento escuchar lo que está detrás de mis propias palabras, puros túneles. Y mientras tanto me acompaña José James desde la bocina de mi aparatejo, y *there she goes on her merry way*. Los sonidos del insomnio. Eso y mi pluma sobre este papel. Pensamientos disfrazados de líneas.

Ya en el insomnio, mejor hablemos de caracoles: no son cualquier caracol, éstos. Todos los caracoles que hemos encontrado, con un par de excepciones, son *Strombus Gigas* (también conocidos como *Lobatus*). Hay unos de medio metro de largo, ¿Te imaginas? Ese tamaño ya no lo vemos nunca ni en el Caribe ni en el Golfo. Nos los acabamos como acabamos con todo. Pienso en la metáfora de Levi-Strauss y el sexo de los caracoles. Todo depende de dónde estamos mirando. Como lo que decía con Yunuen sobre cómo quien observa modifica todo, significante, significado. Los otros que encontramos son del Pacífico. Eso nos dice mucho del comercio y la migración. Y eso que no hablo de las cuentas ni pectorales ni orejeras, solamente hablo de caracoles completos. Y además de tener que ver con el inframundo y la fertilidad, tampoco es coincidencia que estén unos caracoles que tienen unos patrones que parecen como dibujos de cerros o montaña. Todo tiene que ver con el cerro, con el monte: la pirámide como monte domesticado, dice mi colega Paolo. Y Mircea Eliade ya había hablado en otros contextos de la importancia de los cerros y montes en relación con el sol. No por nada a Jesús los romanos lo crucifican en el monte: un sacrifico al sol. Acá el cerro es cruce, contiene el agua, del cerro brota el agua, la vida, el cerro como intermediario entre el cielo y la tierra y lo que está por debajo de la tierra también. Y de pronto imagino estos caracoles como montes miniatura: montículos en el agua. El agua que brota del cerro, el caracol que surge del agua. Y aunque suene inimaginable con los siglos sumergidos en este lodazal los caracoles se han vuelto de esponja. Suaves. ¿Te imaginas el proceso para restaurarlos y que sobrevivan otra vez duros en nuestros museos y almacenes?

Si arte, ciencia, alquimia, por momentos acto de fe. En fin, acá en el túnel todo tiene que ver con el agua, con lo que está debajo, lo oscuro, lo húmedo, lo femenino. Por eso hay tantos dientes de jaguar: porque los jaguares salen de noche, son la noche misma. Las personas jaguares o los jaguares personas que habitan la noche. Nada es metáfora acá. Todo es un mundo en sí, una intensidad que lo transforma todo. Comunicación. También por eso los caracoles, ¿a qué se parecen estas trompetas con su entrada, hendidura rosa? Tengo que compartirle esto a Yunuen ahora que vuelva a la comuna, se va a reír. Este mundo le va a encantar.

Hay tanto que ver y no me canso de admirarlo todo. En las noches repaso y recorro con mi mente: las paredes incrustadas de pirita y hematita, las esferas cubiertas de pirita, que han de haber resplandecido como planetas, como lunas soles o estrellas. Cierro los ojos. Imagino cómo, al pasar con los pies mojados por la humedad, avanzaban con antorchas que se reflejaban como miles de estrellas en las paredes, los techos, las esferas estas. El inframundo como paraíso. Una oscuridad profunda y a la vez iluminada.

Hoy llegamos al fin del túnel. O al menos eso parece. Un trébol lo termina. Hay unas estalagmitas talladas a mano dentro de la roca misma. Una locura. Podría ser también el modelo de una pequeña ciudad. Y al fondo de todo, entre el lodo se asoman unas cabezas. Son tres estatuas. Mujeres grandes talladas en piedra verde. Las comadres, las bautizamos más tarde. Luego al empezar a quitar la tierra aparece una cuarta figura: él. Mini manito, le digo yo. Un hombrecito o niño. ¿Lo estarán cuidando? ¿Serán madres? ¿Diosas? ¿Lo crían? ¿Son sus hermanas mayores? ¿O lo habrán encogido? ¿Serán tres brujas? Pienso en las brujas de *Macbeth* que se reúnen de noche también entre la lluvia y el trueno.

Yunuen repasaba mil y una vez lo que sabíamos. «Que había sido un hombre», dijo Erme que decía el vecino. Que nadie podía hablar de ello, ni identificarlo, ni venir a declarar. Que hubo amenazas, que seguía habiendo amenazas. No se podía decir nada de eso dentro de la Fiscalía, para no poner a Erme en peligro, eso jamás se los hubiera perdonado Eugenia. Lo único atinado del expediente era que, en efecto, las autoridades también suponían que había sido un hombre. En eso, por lo menos, no se equivocaban, pero por omisión o por colusión no le daban seguimiento a nada. Se atoraba entre una y otra oficina. Y Yunuen atorada junto con el expediente. Frustración. Rabia. Había dos maneras de acercarse al tema, la suave y amable, para eso estaba Saratoga; y la implacable, para eso estaba Yunuen. Diana afuera siempre, por sus ataques, por sus tatuajes y cicatrices y, sobre todo, porque afuera y abajo siempre se escuchan cosas. José se presentaba todas las madrugadas a las cinco de la mañana para llevarlas hasta la Fiscalía antes de irse a trabajar y para que fueran de las primeras formadas para entrar, sin contar a las que acampaban afuera todas las noches. A veces iban algunas más con ellas en el coche, las que empezaron a dormir en la comuna, que también buscaban, exigían, esperaban. Iban unas sentadas en las piernas de otras. José era el Caronte contemporáneo que las llevaba en su nave o Re en su barca transportándolas a enfrentar sus obstáculos, pero Eugenia hubiera tenido unas comparaciones más aptas y locales. A veces en el estéreo ponían o sonaba alguna canción que daba ánimo, «Amor Eterno» de Juanga la gritaban a todo pulmón, las hacía llorar y José lloraba mientras manejaba, *Pero cómo quisiera...*

Adentro del edificio sobraban horas para pensar. Yunuen anotaba cosas en su celular. Leía. Esperaba. Cerraba los ojos y entraba en un estado meditativo. Luego le daba todo vueltas en la cabeza, en el cuerpo. Un día que estaba en eso, le llegó la alerta de un correo electrónico: un tal Adalberto_Reyes@yahoo.com había respondido a uno de las decenas de correos que había enviado:

> Estimada Yunuen, una disculpa por tardarme tanto en responder. Han pasado tantos años que me tomó otros meses decidir si quería saber más sobre la muerte de una hija que no conocí.

«Porque no quisiste, pendejo», le respondió en voz alta a la pantalla Yunuen. Siguió leyendo:

> Me gustaría venir a hablar contigo de qué sucedió y ayudar en lo que pueda aunque sé que llego demasiado tarde. Avísame cuándo y dónde. Gracias, Adalberto Reyes.

Yunuen no respondió nada, cerró el mensaje y lo marcó como no leído. Alguien a quien buscaba apareció. Suspiró largo. Y ahora, más allá de encontrar al asesino de Eugenia, ¿qué podían buscar? Qué quiere decir buscar justicia, que se haga justicia, cuando lo único justo, le parecía a Yunuen en ese momento, era que volviera Eugenia a sus brazos, a casa, a la vida. Y eso, justamente, o más bien injustamente, era lo único que nunca sucedería. ¿Qué esperaba? «Ni perdón ni olvido», rezaban varias mantas colgadas afuera en los campamentos que se iban armando, entre cruces y pequeños memoriales o monumentos con fotos, caras y nombres de tantas, demasiadas, mujeres y niñas. Del olvido, ni hablar. Todos los días llegaban momentos que le robaban la respiración, esos donde Yunuen pensaba en Eugenia, donde imaginaba qué estarían haciendo juntas. Lo comentaba con Diana y Saratoga, lo sentían todas. Incluso después, resguardadas, cuando sucediera todo lo demás.

Esa presencia ausente o ausencia presente, la sentían todas las madres, las hermanas, las amigas con las que Yunuen hablaba en ese edificio. Lo peor era hablar con las hijas. Las que no habían visto a sus madres en mucho tiempo, que apenas empezaban a conocerlas, a entender quiénes eran ellas mismas en el mundo, cuando les mataron a sus mamás.

¿Qué perdura en el tiempo? La pérdida perdura, no solo la memoria. Yunuen le daba vueltas a la primera parte de esa oración: ¿Qué es el perdón? ¿Qué perdón es posible? ¿Perdonar a quién? ¿Al asesino? ¿A las instituciones que no hacen nada? ¿A sí mismas? Quizás esa era la parte más difícil, perdonarse por seguir vivas, y por no poder resolverlo. En esos días incluso contempló comprar un arma. Luego pensaba ¿para matarse? ¿Para matar a quién? ¿Sería capaz de quitarle la vida a alguien más? ¿Sería esa una forma de cobrar, de recobrar? ¿Qué no eran pensamientos imprecisos e injustos, qué no se estaba haciendo daño y de paso a todas con esas respuestas? Preguntas y preguntas era lo único que le quedaba al estar allí en ese edificio… las preguntas la asaltaban. ¿Cuál reparación posible? ¿Quién puede repararlo? ¿Ellas? ¿El padre recién aparecido? ¿El asesino? ¿Y cuál reparación posible, nuevamente, tomando en cuenta que Eugenia no volvería a la vida? ¿Qué sacrificios tendría que hacer el hombre ese para reparar el daño? La memoria.

Lo que quería también, en medio de esas preguntas, era encontrar la salida de emergencia de esa película que tenía dos finales posibles, igualmente malos: el cinismo o la incredulidad. Ninguno de los dos le gustaba, ninguno tenía que ver con la justicia. Yunuen no sabía qué le había pasado a Eugenia la noche de su muerte, solo lo sabía ella, y peor: el que mejor lo sabía era su asesino.

A esas alturas, Yunuen tenía una colitis confirmada médicamente. La piedra de dolor que le rodaba por dentro. Saratoga había ensayado varios remedios pero nada funcionaba. Conocía los baños del edificio de memoria. Sabía que había que llevar un rollo de papel en la mochila. Las esperas eran largas. A veces, pocas veces, la llamaba algún fiscal o su asistente, o alguna oficial para que pasara a su oficina. Yunuen iba disfrazada: usaba vestimenta formal, ropa prestada de Rami, lista para una audiencia. Tenía memorizado el número de expediente, claras las peticiones, no, las exigencias. A veces le ofrecían un café o un caramelo, siempre decía que no, con Yunuen no estarían nunca cómodos. Ella jamás les concedería esa pequeña victoria hasta que no le dieran información clara.

En sus horas de espera, la acompañaba algún libro de John Berger, su autor favorito. Una de las frases que se podría tatuar, que le daba más rabia, es la que leyó hace algunos días: que lo que lamentamos o lloramos de nuestros muertos, es la pérdida de sus esperanzas. Yunuen guardaba una esperanza: esclarecer el feminicidio de Eugenia, pero no tenía forma de recuperar *sus* esperanzas. Esas sí, como ella, eran irrecuperables.

Esperar. Desesperar.

En estos meses Yunuen había procurado dejar de morderse los dedos. Saratoga le había embarrado un menjurje como los que le ponía su mamá de niña pero todavía más asqueroso. Las puntas de sus dedos seguían descarapeladas, algunas todavía con costras y sanando, las uñas ya casi inexistentes. Mientras jugaba con una especie de rosario que le habían regalado para calmar sus nervios, otra pregunta la asedió. Tenía que ver con su trabajo, que para ese entonces estaba completamente en pausa, pero que no dejaba de trabajarla. La pregunta de la imagen, pensando en el arte en general, pero en Eugenia en específico era si, como decía Berger, las imágenes se crearon para conjurar las apariencias de algo que estaba ausente, entonces cualquier imagen que Yunuen pudiera hacer, cualquier conjuro de visión que pudiera lograr Diana, tan solo recalcaría la distancia en el tiempo y el espacio que había entre nosotras y Eugenia. O no, tal vez nos traería una sensación de presencia, de algo que perdura. Un desafío a la ausencia.

Quizás así deberíamos llamar esto que queda aquí, este testimonio que juntamos desde estos túneles: un desafío a la ausencia.

Pero esa pregunta no era aplicable a la fotografía de Eugenia que Yunuen había robado del expediente casi al inicio de este proceso interminable. A veces se preguntaba si no sería por su culpa que el caso no se había resuelto, pero no. La foto no revelaría nada a quienes estaban dispuestos a velar hasta las verdades más claras. Esa fotografía: ¿ausencia o presencia? Tal vez la pregunta no era acertada porque esa foto era un documento duro. ¿Evidencia? La evidencia, lo evidente es algo claro, la claridad que va desde el interior al exterior, esa foto era todo menos evidencia. ¿Pero qué sería? ¿Fantasma? ¿Ceguera? ¿Realidad? ¿Qué realidad produciremos? ¿Qué realidad revelamos, velamos, evidenciamos o hacemos ciega? Estas preguntas se hacía Yunuen con ganas de salir a hablar con sus amigas sobre el correo que había recibido, con los ojos cerrados pero los oídos a la espera de que la llamaran para hablar con alguien.

Al salir, les contó que el supuesto padre de Eugenia por fin había respondido. «¿Cómo sabes que sí es él y no otro hombre cualquiera?», le preguntó Saratoga. «Porque, mira», le extendió la pantalla del teléfono, «habla de los años de ausencia». «No habla de abandono el muy cobarde, entonces seguro sí es», dijo Diana y con una sonrisa cruel: «Que se vaya a la chingada, no le cuentes nada». «Pues no tenemos mucho que contarle, no sabemos nada», interrumpió Yunuen, algo desesperada. «Mejor respondamos cuando haya algo más que decirle» dijo Saratoga, conciliadora.

Había días, también, y esos eran los peores, cada vez más, que Yunuen sentía que estar allí era encarnar la futilidad, que ninguna cantidad posible de información acumulada traería a Eugenia de regreso. Sin embargo, iba diario a pedir informes, a exigir que se le diera seguimiento. Pero también, y el correo del padre le recalcaba algo que ya sabía, era urgente ir a ver a Julio. Yunuen no creía en las instituciones, a pesar de estar mejor preparada para enfrentarse a ellas que Saratoga, y que Diana ni se diga. Finalmente un día recibieron la esperada llamada de doña Erme. Después de lo que le dijo a Diana en el entierro, y luego de varias visitas llenas de lágrimas y cariño, al fin les llamó para hablar de un pueblo en Morelos no tan lejos de los volcanes, en un valle junto a un río donde la gente se estaba juntando. Allí cuidaban de quienes temían de las autoridades por injusticias que les podrían cometer quienes se suponía tenían que encargarse de la justicia. El mundo estaba al revés. Pero había un pequeño espacio allí donde se hacían las cosas de otro modo.

Entonces esa tarde de mayo, Yunuen quedó de verse con Doña Ermelinda en la entrada del edificio donde siempre esperaba sentada Diana, para ir hacia una cafetería cerca. La luz de la tarde hacía parecer más cálido ese lugar, pero la sequía estaba arrasando con el pasto y las plantas que hacían el calor menos insoportable. Diana abrazó a Erme, luego Yunuen también. Saratoga se quedaría dentro del edificio hasta que cerraran, y Diana afuera por si acaso. Yunuen y Erme caminaron tomadas del brazo. Podrían haber sido madre e hija. Yunuen no quiso dejar de agradecerle a Erme todo lo que seguía haciendo por Eugenia. Que hubiera venido hasta ese lugar. El miedo era grande en esos días. Algunas mujeres no querían salir. Y con razón. A unas calles de la Fiscalía se sentaron en una mesita de melamina naranja con bancas forradas de plasticuero amarillo en el fondo de la cafetería. Tomaron café aguado y Erme le dio unas instrucciones escritas a mano en un pedazo de hoja de cuaderno doblada en cuatro: eran para ubicar la casa donde se estaba quedando Julio en el pueblo en Morelos y luego le dijo por quién preguntar, en cuál tienda, si se perdía en el camino. Le pidió a Yunuen que no lo compartiera a nadie, y que no fuera tirar el papelito así como así. Se abrazaron fuerte. Yunuen sintió la fuerza del cuerpo de Erme. La fortaleza de ella también en sus creencias, en su apoyo, en su lucha y en Eugenia. Miró a Yunuen a los ojos, era la luz de la tarde o la memoria compartida de Eugenia que resplandeció en un momento breve y cariñoso. Erme se talló los ojos. Se pusieron de pie y caminaron juntas en silencio a la parada del transporte que debía tomar Erme para volver a casa. Después Yunuen volvió al edificio devorador de tiempo.

La presencia constante de nuestra Eugenia era lo que nos permitía, a nosotras, seguir; para otras la presencia de sus desaparecidas, cada una encontraba sus razones. En ese lugar, debajo de la luz blanca y parpadeante de los neones, entre los cubículos, oficinas, archivos, escritorios, teléfonos, mamparas, el plafón falso.

Y también ahora, en este lugar húmedo y primigenio, con la guerra tronando afuera, con hambre pero manteniéndonos vivas con hongos, líquenes, musgos, con lo que se pueda. Con sus cuadernos, sus expedientes ya inútiles, sus listas de nombres, sus visiones borrosas pero nunca borradas, con todo reunido para poder recordar esta historia, para que no se olvide, nos sentimos como las secretarias de la muerte.

[descripción de objetos contenidos en una caja de plástico sellada junto con las hojas de un cuaderno de «visiones», los «apuntes de la comuna» y páginas del «diario de Eugenia» encontrados en la gruta A túnel 5]

Cinco (5) tarjetas SIM nano

Dentro de una bolsita tipo *ziploc* sellada con los logotipos de varias compañías telefónicas de diversos países: México, EUA, Canadá, España, Argentina, Brasil. Varios de los chips presentan oxidación y algunos también marcas de huellas digitales.

Una (1) torre de discos

¿Vírgenes? No necesariamente.

Son 28 discos.

Algunos numerados con un rotulador negro: 1,3, 5, 6, 13.

Uno tiene una estampa de la silueta de un pájaro, ¿parece golondrina?

Varios están rallados, ¿inservibles?, ¿inaudibles?

Cuatro (4) hojas de papel blancas manchadas con grafito y carbón:

La primera: Una grieta. Un delta. El dibujo a lápiz de una grieta de un abismo que se abre ante nuestras narices, se descorre en vetas que van abriéndose más y éstas en otras, ramificaciones de la grieta que en realidad es un árbol.

Sonido.

Debajo de esa, tres papeles más manchados con carbón: parece que al desdoblar, el carbón frotado sobre paredes agrietadas ha dejado texturas y rastros sobre el papel.

¿Qué justicia, qué esperanza o reparación es posible cuando ya no está la vida allí? Arreglemos, remediemos, restablezcamos, consideremos las dificultades, démonos cuenta, hagamos la cuenta, fijémonos, reparemos.

¿Nos lees, nos copias, en blanco sobre negro sobre negro sobre blanco, ruido de fondo? Piedras pulidas a lluvia y sol, te vamos llevando, te cruzamos del otro lado del río. ¿Escuchas nuestro canto, llanto, lamento? Ven. Síguenos. Piedras ululando, piedras sirena, puente entre realidades. Dientes tiritando. Mariposas negras que aletean a tu alrededor, ¿te ponemos los nervios de punta? Somos lo que se esconde debajo de la tierra agrietada bajo tus pies. Písanos, camina por encima nuestro sentirás cómo nuestros estremecimientos, temblores, convulsiones comunican telegráficamente. Vapor fosforescente. Runas, ruinas, huesos hablantes.

Cuerpos explotados, disipados, desplazados, heridos, enterrados, violentados. La comuna buscaba reconstituir el cuerpo real y eso requiere de un movimiento del cuerpo por el espacio y el tiempo. Esto duele.

Esto es: una búsqueda en la línea.

¿Cómo reimaginar el cuerpo? ¿Cómo lo reinscribimos hasta que exista? ¿Cómo recreamos aquello que ya no está para que vuelva? Conjuros.

Pero, allí entre las piedras y el cemento de esos edificios grises y fuera de toda proporción con el cuerpo humano, en esos laberintos de papeles y fojas y folios y escritorios de pesados, en esas instituciones del aparato de captura, Diana se preguntaba, ¿existía algún espacio para los mecanismos de anticipación-conjuración?

Una copa con néctar que se voltea. El néctar se esparce despacio, se extiende y se estira hacia arriba, en contra de la gravedad formando hilos y redes doradas y plateadas. Reflejan la luz y tiemblan con una brisa invisible. Más que belleza, es como el primer recuerdo de descubrir la belleza. Y la red se va rompiendo y rehaciendo, rompiendo y rehaciendo, como si el pasado o el futuro no existieran, solo el instante de la reconstrucción.

Los cuerpos de la comuna sostenían el dolor en común. La ausencia. Cada pérdida es diferente, eso sí, y cada forma de buscar también. Varillas, picos, palas, mapas, varillas soldadas de formas distintas, computadoras, GPS, drones, folders, fotografías, papeles, fotocopias, caminar y recorrer el espacio y el tiempo con los cuerpos en espera. Como muchas tenían que acudir a la Fiscalía desde pueblos distantes, Diana fue la primera a la que se le ocurrió que podrían pasar algunas noches, que para algunas se volverían semanas, en la comuna. Reacomodaron los cuartos: Diana y Yunuen y Saratoga en el de Eugenia, que daba al cubo de luz desde donde se escuchaban los pericos y a veces también a la vecina que les gritaba «pericos borrachos» una y otra vez, una y otra vez. Saratoga no quería que nadie más que ellas durmiera allí y Diana y Yunuen estaban de acuerdo. Lo habían dejado lo más intacto posible y acomodaron los otros tres cuartos con colchones y colchonetas como dormitorios para las que iban y venían, las que llegaban y se quedaban.

El día que Yunuen se fue a buscar a Julio era otro día de espera, pero esta vez diferente. Incluso frente al edificio. Bocas abiertas, gritando justicia. Y de pronto: las de afuera del edificio estaban encapsuladas, cercadas. Rodeadas. Los policías estaban jaloneando las tiendas de campaña, las cobijas y mantas. Gritos. Empujones. Jaloneo. Miedo. Diana se encontraba curiosamente aislada entre las demás. Como si sus gritos hubieran creado un escudo o una burbuja a su alrededor. Estaba separada de la realidad como por un fino velo. Un poco más lejos,

Marta gritaba algo con su boca roja bien abierta. «Que así sea mi boca, flor», pensó Diana. Y entonces: un policía la golpeó directo. Se le acercó y sin preguntar nada: «Cállate». Le calló la boca. Pero no. Boca florida. De allí salieron cosas. Dientes, historias, recuerdos, datos.

El cuello perfecto, color arena, largo y estirado hacia atrás. Listo para el sable la guillotina, la lengua que lo lamerá. No alcanzo a ver la cara pero alcanzo a percibir la tensión de los músculos. La vena palpitando debajo de la piel. Es el cuello de una cierva. Es la apertura total.

Se desmayó. El golpe le produjo un trance. En ese momento le pudieron haber pasado tantas cosas a su cuerpo.

Caída. Un mapa que es un vacío que es un anturio negro un ataúd de piel y piedra y resplandece que es un abismo atravesado por un rayo, por calor, que es la cabeza de una aguja entrando en un poro, llenándolo de tinta negra. Oscuridad. Mancha que esparce o absorbe. Un hueco. ¿Tumba o matriz?

Esa madrugada José le había prestado su coche a Yunuen. Yunuen dejó a Diana y a Saratoga en la entrada de la Fiscalía al alba y se siguió de largo a la carretera con dirección sur. Ya casi se cumplía un año del asesinato de Eugenia y todo seguía igual. Afortunadamente, Erme pudo convencer a Julio de ver a Yunuen. Casi nunca manejaba, pero cuando lo hacía lo disfrutaba. Había algo de tráfico para cruzar la ciudad. Varias de las amigas y compañeras que dormían o pasaban tiempo en la comuna se ofrecieron para acompañarla, pero había quedado con Erme de que iría sola.

Tardó más de dos horas en recorrer los 85 kilómetros que la separaban de Julio, el único testigo de lo que le sucedió a Eugenia. A medio camino, ya fuera de la ciudad, se le empezaron a despejar las ideas que revoloteaban por su cabeza como nubes de moscos y se preguntó cómo la recibiría Julio . Yunuen sabía que por miedo estaba en poca o nula comunicación con la gente de San Martín. Por enésima vez se preocupó de que se echara para atrás. O de que hubiera huido. Estaba tan enfocada en el resultado —en saber más de Eugenia— que a ratos se le olvidaba que Julio tenía sus propios problemas y preocupaciones. Bajó la ventana y el aire hacía un efecto de vacío en sus oídos. Pensó en Daniel y Gabriel que se habían ido a vivir a Brasil hace unos meses. Todas las semanas le escribían mensajes a su teléfono para saber cómo estaba la situación. Yunuen nunca tenía nada que compartir más allá del dolor y el tedio pero, pensó, hoy sí les tendré noticias. O al menos eso esperaba con todo su ser. Ya también habían quedado de verse en la comuna con Adalberto hoy mismo cuando volviera, para darle noticias de lo que pasó con Eugenia. Diana, que era la que más se resistía a ver a ese hombre o compartirle nada, por una vez accedió sin tanta discusión porque, según decía su madre, corría el chisme de que Adalberto trabajaba en cosas de seguridad, entonces tal vez podía ayudarles a encontrar al asesino con conexiones o gente de su mundo. Ojalá. Por primera vez en casi un año Yunuen se atrevió a sentir un poco de esperanza. Traía las instrucciones de Erme en el portavasos, junto a su taza de té ya frío. Esa mañana el estómago le dolía menos. Como si la piedra de dolor se hubiera desmoronado en grava. Detenía el volante con una mano, luego la otra, y mientras se jalaba los pellejos del dedo pulgar con la poca uña que le quedaba del dedo índice. Procuraba no hacerlo pero sí estaba nerviosa. Y por fin llegó.

Primero una calle con cemento, luego algunas calles empedradas, al final pura tierra. Todo verde de tantos tonos. Se veía que ya estaban cayendo algunas lluvias, aunque ese año había sequía. A lo lejos alcanzaba a ver un peñasco enorme con las nubes bajas tapándolo. Olía rico. Se calmó un poco, pero ese dolor, ahora leve, después de tantos meses se estaba metamorfoseando en una sensación de mariposas en el estómago, de puro nervio de saber algo más. Y luego las mariposas convirtieron sus alas en un armazón de hierro apretando su pecho fuerte. Pánico. Angustia. Encontró la casa rosa y blanco. Dejó el coche y bajó.

«Hola, hola. Soy Yunuen, la amiga de Eugenia», dijo hablando en voz ni alta ni baja a las ventanas cerradas con sus cortinas estampadas con formas geométricas. Una pausa y casi en seguida llegó corriendo de atrás de la casa una niña de unos cinco años y dos trenzas amarradas con moños amarillos. Yunuen se puso en cuclillas y la saludó. En seguida gritó «Papá» con una voz agudísima y Yunuen se preocupó por haberla asustado, pero más bien la niña la espantó a ella. Detrás de la puerta de aluminio azul salió un hombre joven, flaco, alto. Traía una gorra azul oscura, perfectamente moldeada a su cráneo que tenía unas letras que ya se habían borrado. La gorra le tapaba la mitad de la cara. A Yunuen le pareció importante presentarse otra vez antes de preguntar más.

«Pásale».

Entraron a la casa y atravesaron directo hasta la parte de atrás, de donde había llegado la niña. Había unas cubetas y tinajas de plástico de colores. Había unos jitomates enredándose como pelo mal cortado en unos alambres y más lejos susurraba una milpa.

Julio le dio un vaso con agua y se sirvió otro.

Yunuen hizo un esfuerzo sobrehumano por no ser demasiado necia, veloz, por escuchar antes de hablar. Quería los detalles, quería todo. En el momento tenía un sentimiento de que cualquier detalle era como acercarse nuevamente a Eugenia, a que volviera a respirar aunque fuera una vez más. Y si acumulaba suficientes detalles, suficiente evidencia, ¿volvería a la vida?. Absurdo, lo sabía, pero no dejaba de sentirlo.

Julio trabajaba de vigilante en el sitio de excavación del INAH. Jaló una silla, la dispuso junto a otra y le indicó con la cabeza que se sentaran. No había dicho más que una palabra para invitarla a entrar. Se agarraba las manos encima del regazo, dedos morenos largos y con uñas largas, entrelazados. Se veía que estaba nervioso: con las puntas de los dedos tocaba las otras puntas de sus dedos hasta que se ponían blancas. Yunuen trató de hacerlo sentir mejor, más tranquilo, no hablando de Eugenia directamente, aunque todo su cuerpo le pedía hablar de eso ya, ya, ya. Procuró ser amigable, casi casual. Se mordió más las uñas. Estaban ya en carne viva.

«¿Es tu hija?».

«Citlalli».

«Hermosa».

Citlalli corría a lo lejos jalando un palo detrás del que arrastraba un juguete.

Julio inhaló como para tomar fuerzas y le dijo que la estaba esperando desde el día anterior. Empezó por contar por qué había empezado a trabajar en el sitio. Le contó que escuchaba a algunos de sus compañeros de la prepa que querían robarse cosas. Le contó que en su pueblo había muchos problemas, que otros, de fuera, eran luego quienes venían a robarles. Le contó que conocía a Eugenia por lo mismo del trabajo: que la veía allí siempre hincada, agachada, cuidadosa, limpiando objetos, poniéndolos en sus cajones enormes, con sus etiquetas, cuidadosa, comprometida. Se acabó el vaso de agua casi de un trago. Le empezó a contar que la fue conociendo de fuera del trabajo, porque había ido varias veces a la asamblea. Primero a escuchar. Siguió allí muchas veces escuchando. Que primero cerraba los ojos, y luego ya de a poquito se abrió. Que siempre decía sí con la cabeza, así calladita. Sin decir más. Luego se iba caminando con algunos vecinos. Comentando. Traía pan a veces. Ya luego, más en confianza, pidió la palabra. Se la dieron. Yunuen se la imaginó con sus chinos, los ojos cerrados y esas pestañas. Se la imaginó siempre tan cuidadosa con todo lo que hacía. Se le salió una lágrima que trató de disimular.

Como para darle espacio a Yunuen, Julio miró a Citlalli, que seguía corriendo, y luego bajó la vista y siguió:

«En San Martín hay muchas cosas valiosas en la tierra. Y hay una compañía que quiere sacar mucho de la tierra, y rascar los montes que son nuestros. Y no queremos. Pero los que ya habían recibido dinero de la compañía se sintieron comprometidos. Que si cómo iban a faltar a su palabra. Pero su palabra no vale, porque no es la de todos nosotros». Se sirvió más agua y se acabó el vaso de un trago otra vez. Yunuen se escuchaba a sí misma tragar mientras asentía.

«Uno de los muchos problemas es que al sacar ese material acaban con muchas otras cosas que a ellos no les interesan. Las abuelas hablan de que ya no escuchan las ranas en los arroyos, ya no se entierran los sapos en el lodo ¿pues cuál lodo?, y eso que ni han más que empezado. Puro sacar, secar, saquear».

Yunuen se comió ya hasta la carne del dedo. Ese día no había menjurje que lo evitara. Pero siguió escuchando sin interrumpir. Pensó que Eugenia estaría orgullosa de ella.

«En sus excavaciones estaban lastimando también las cosas de los antiguos. Lo vivo y lo de antes, todo. Eugenia estaba allí por eso. Por eso se puso a escucharnos, y a contarnos de eso y a acompañarnos. Por eso estaba ella cada vez más metida en ver con qué otras organizaciones podríamos hablar para que nos apoyaran en frenar eso de la compañía. Yo y otros desde tiempo atrás estábamos hablando con compas de acá también. Estábamos ya afianzando redes y pues ella también fue trayendo a algunos compañeros de ella que se interesaron. Ya nosotros desde tiempo atrás estábamos en lo de frenar todo eso. Las mujeres mucho se pusieron allí, pusieron el cuerpo. Ella se sumó a las compañeras y ya después de muchas asambleas participó en una de las acciones de frenar las máquinas. Luego la mataron. Yo me vine para acá porque se puso todo muy feo».

Se paró. Se quitó la gorra para rascarse el pelo con el talón de la mano. Se miraron por primera vez. Yunuen vio su cara: más joven que ella, el blanco de los ojos un poco amarillento, la mirada tan llena de determinación que

Yunuen bajó la suya a sus tenis demasiado nuevos. Julio entró. Luego salió con más agua para ella. Siguió:

«La noche esa, yo estaba allí de turno. Lo vi y lo escuché todo. Me dio mucho miedo. Y por lo mismo no había dicho nada y también por las amenazas. Y a los policías menos. Van a decir que la maté yo, o peor, quién sabe».

La gorra le hacia sombra en los ojos. Arriba las nubes pasaban encima del sol y hacían que la luz cambiara mucho. Citlalli ya no estaba a la vista. Ni cuenta se dio Yunuen que se había ido a otro lado.

«Era de madrugada. Ya mero terminaba mi turno y todavía estaba oscuro. Eugenia venía entrando, como siempre la primera en llegar. A veces me tocaba verla cuando volvía a empezar mi turno. Trabajaba sin parar. La vi de lejos, todo normal, me di la vuelta para seguir mi último rondín, ya luego siempre pasaba a despedirme antes de irme, cuando escuché una voz. Eugenia siempre llegaba sola. Se me hizo raro así que volteé y empecé a regresar. La venía siguiendo un hombre. Lo primero que pensé fue que era algún arqueólogo. Pero su voz se escuchaba así como que estaba enojado, algo le reclamaba a Eugenia pero no se entendía y más rápido de lo que yo alcancé a acercarme, Eugenia ya se dio la vuelta encarándolo y le gritó "Déjame ya", empecé a correr hacia ellos, estaban por la entrada al túnel y él sacó una pistola así de su bolsillo, le dio dos balazos en chinga así como si no fuera nada, a la vez que siguió caminando hacia ella y casi al mismo tiempo así la empujó por la bajada al túnel.

»Me quedé sin voz. Ya no alcanzaba a escuchar a Eugenia. La pistola no había hecho ruido tampoco, no como cuando alguien se pone a los tiros en fiesta, más como un sonido sordo, duro y callado a la vez».

Una parvada negra iridiscente de zanates pasó frente a ellos y los sorprendió con su estruendo un momento. Julio siguió:

«Yo primero me agaché en chinga para que no me viera y luego me fui por la orilla también en chinga hasta llegar detrás de la tienda que recubre la entrada. Alcancé a verlo asomándose por la bajada. Un hombre alto, blanco. Le colgaba una pulsera dorada que me pareció grande y peculiar, en ese momento ni me di cuenta de que lo estaba notando, pero brillaba con la luz del reflector que iluminaba la entrada del túnel. Lo que noté en ese instante que dejó de agacharse para ver por el hoyo que baja al túnel fue que estaba salpicado de algo que se veía oscuro en el cuerpo y en la cara. Que tenía la forma de su cabeza redonda y medio calva. Entendí sin pensarlo que era sangre. Me encogí más para que no me fuera a ver. Se alejó de prisa pero no rápido, iba rengueando. Ya después me quedé pensando en la pulsera esa. Ni siquiera volvió a voltear hacia atrás. Se fundió con la oscuridad y yo me quedé tieso de miedo, se me metió el frío de la madrugada en los huesos. No lo seguí y sabía que Eugenia estaba muerta sin haberlo comprobado, como cuando sabes que alguien te está viendo sin necesitar voltear a verlo. Así lo sentí como certidumbre».

«¿Ya no hacía ruido? ¿Algo?».

Yunuen no sabía ni qué estaba preguntando en ese momento.

«A lo lejos se escuchaban las máquinas rascando el monte. Habían vuelto a empezar su turno. Donde antes había ruidos de la noche, ahora se escuchaba eso. Yo me agaché junto a la entrada del túnel. No se oía nada. Las piernas me temblaban en cuclillas. Me enderecé y me seguían temblando. Mi cuerpo sabía que algo había pasado. Me entró terror que pensaran que yo le hice algo».

«Y entonces, ¿no hiciste nada?». Respondió Yunuen tajante y perdiendo la paciencia y la cordialidad. Luego tomó un trago de agua para calmarse.

«Perdona. Yo sé que no es tu culpa pero siento que tal vez si hubieras bajado todavía la hubieras encontrado viva. O si hubieras llamado a una ambulancia…». Yunuen volvió a tomar un trago de agua para abrirse el nudo en la garganta. Se le nubló la vista de lágrimas.

Julio la miró con paciencia.

«Y, si hubiera llamado a una ambulancia yo, ¿qué crees que hubiera pasado?». La miró a los ojos un instante, luego regresó la mirada a la milpa en movimiento. «Por eso le dije a Erme que sí vinieras. Quiero ayudar. Eugenia también era mi vecina, esto pasó en mi pueblo. Pero no quiero acabar yo encerrado. Tengo que cuidar a Citlalli».

Yunuen asintió con la cabeza. Entendía también que Julio se había arriesgado él y a su hija al dejarla venir.

Se puso de pie y levantó el brazo mirando a Julio para que le indicara qué tan alto pensaba que era el hombre aquel. Se lo señaló, bastante por encima de su cabeza. Alto.

Se volvió a sentar, anotó todo en una libreta: Alto. Blanco. Pulsera ancha. Cabeza redonda, calva. Cojo.

«¿De qué pie?».

Julio miró la punta de sus dedos. Encogió los hombros.

«Cojo y todo pero con lo que acababa de hacer no alcancé a notar de qué lado».

Yunuen se acabó el último trago de agua del vaso. Era uno de esos vasos largos que se usan para las veladoras, y que tiene una cruz hasta abajo. Miró la cruz y pensó en las del campamento frente al edificio de la Fiscalía. Se paró de golpe y abrazó a Julio. Se puso tenso y no la abrazó de regreso. Lo soltó en seguida y le extendió la mano. La detuvo con la suya un momento.

«Gracias por recibirme, Julio. Te prometo que nadie te va a molestar por esto».

¿Y cómo haría para cumplir esa promesa?

Al fondo, el viento mecía las hojas de los elotes de la milpa. El juguete y el palo de Citlalli allí seguían y a lo lejos se oía su risa con las de otros niños.

Esta escritura de ceniza, estas palabras surco en el tiempo, ¿qué cuentan, qué dejan de contar que nadie más contó? ¿Será que en ti darán flor y fruto? Abre la boca. Sigue.

Mientras tanto, Saratoga y Marta llevaron a Diana a la comuna. Tuvieron suerte de que no las arrestaran. En las noticias del radio del taxi hablaban de que estaban varias mujeres detenidas y la locutora les echaba la culpa a ellas. Diana no podía hablar pero mugía de indignación. Para cuando llegaron traían todas las mangas y la blusa manchadas de rojo. A Diana lo único que le importaba eran sus cuadernos con nombres. Marta, que fue quien la había encontrado golpeada en el zafarrancho afuera del edificio, la había jalado lejos y se habían escondido en cuclillas detrás de la fuente de la plazuela frente al edificio, hasta que pudieron comunicarse con Saratoga para irse de regreso a casa. En la comuna ya estaban varias más esperándolas, había café y té, en la mesa estaba el grupo de las abogadas tramitando distintos papeles, gritando.

Con el paso de los meses, a Saratoga ya no le preocupaba el tema de cerrar la puerta o que la puerta estuviera cerrada. Siempre había alguien despierta, siempre estaba alguien en la cocina preparando algo, sirviéndose algo. La comuna al fin se estaba volviendo comunal, ya no solamente en las ideas platónicas de Eugenia, que así la había bautizado. Olía a muchas. Olía rico a canela, café, cedrón, pan con mantequilla, champús varios, quesadilla recién hecha, alcohol, a ventanas abiertas, a sol. Y ahora con el tufo metálico de la sangre de Diana que estaba en toda su ropa. Tal vez el tema del picaporte se había difuminado porque entre todas estaban al tanto de todas. Entre todas conocían a todas. Marta recostó a Diana en el sofá y en seguida ya tenía allí a la mano una taza humeante que alguien le había traído. Como reflejo Saratoga mordió paja seca: su mechón de pelo que ya estaba sin color alguno. Se fue a cambiar la camisa manchada. Prendió un cigarro. Se arrancó el parche. Yunuen estaba lejos, en la cita con el vecino de Erme que había visto al asesino de Eugenia. Saratoga miró el reloj de un celular que estaba en la mesa de la sala. Regresó al cuarto a sacarle una camisa limpia a ella también.

En casa había algo que dejaba respirar mejor. Y no es que las cosas fueran mejor. Seguían sin encontrar al asesino de Eugenia. Sin avanzar en el caso. Saratoga empezó a dudar si la idea de ir por la vía legal no había hecho perder tiempo valioso. Si tendrían que haber empezado desde el inicio por Julio. Por fortuna Diana propuso seguir ambos caminos, no solo lo legal, también ir con Julio después de tantos meses de buscar por la vía institucional. Ojalá esto no fuera a poner en riesgo a Julio, ni mucho menos a Erme. Cómo no hicieron eso desde un principio. Saratoga dudaba de todo lo que hacían, si eso y no otra cosa era lo indicado. Yunuen estaba igual. Una noche lloró y lloró otra vez porque pensaba que tal vez por haber robado la foto no avanzaba el caso. Las culpas las hacían sentir paralizadas. Diana sabía que ese no era un problema solo de ellas. Hablando afuera con tantas otras, sabía que el problema era de la Fiscalía. Y ese día, por andar allí en ese edificio que no servía para nada, a Diana le rompieron la boca y al parecer le habían despostillado un diente. Sin razón. Saratoga no paraba de fumar y pensar en eso mientras miraba por la ventana hacia la calle. Vio a Marta caminar de regreso a la estación de metro. En la acera del otro lado de la calle, parado frente a la fábrica de vestidos de novia «Destellos de comunión» había un vendedor de fortunas, de esos que tienen pajaritos que sacan papeles diminutos. Los pajaritos amarillos entraban y salían de una jaula blanca. Saratoga estaba como hipnotizada mirándolos. En la sala con Diana estaban dos mujeres, una muy joven y preocupada por Diana, la otra abrazándola. Las historias de dolor se iban acumulando en esos días, pero también aligerándose un poco al compartirse. En el comedor, las abogadas trataban de hablar más bajo después de que habían entrado Saratoga y Diana. A pesar de estar apretadas allí todas, se respiraba un poco más.

Saratoga volvió a pensar en Yunuen y en cómo le estaría yendo por sus tierras morelenses y se acordó de las noches, hace años, de otra vida en la que se iba a la milpa cerca de casa de sus padres. Iba sola. Le gustaba salir sola de noche en el campo: los sonidos de los insectos, de los animales nocturnos. Un gallo despistado por allí tejiendo su canto a destiempo con la luna en vez del sol. Perros ladrando a la distancia. La noche olía a zorrillo, tierra mojada, el polvo de las hojas del maíz seco según la temporada. La emocionaba esa sensación de que aunque había gente alrededor nadie podía verla, que todos estaban dormidos menos ella como un animal nocturno. Se acostaba en la tierra encima de dos surcos y escuchaba lo que fuera que tocaba escuchar esa noche. Algunas noches las estrellas en el cielo eran harina de pan regada en la mesa después de amasar. A veces las nubes atravesaban el cielo, rápido, empujadas por el viento.

Los cuadernos de Diana estaban al lado suyo en el sillón de la sala. Les puso la mano encima. Palma acariciando portada. La piel.

Christina
Mariana
Eugenia
Luz
Rosalba
Betty
Christina
Paola
Yvon
Fátima
Brenda
Idaly
Rosa Cecilia
Gerarda
Kenni

La chica de los zapatos mal puestos
Jennifer Atziri
Ana Karina
Nadia
Ramona
Aidee
Diana
Evangelina
Noemí
Dalia
Fernanda
Wendy
Susana
Serymar
Génesis
Magdalena
Alicia
Esther
Luzanilla
Alejandra
Lorena
Bianca
Jacqueline
Galeana
Mariana
Migdalia
Lesvy
Edith
Jocelyn
Zaira
Ana
Flor

Griselda
Nancy
Melanie
Arleth
Alba
Itzel
Gabriela
María Inés
Johana
Viviana
Norma
Fátima
Mara Fernanda
Aidee
Marisol
Sandra
Claudia
Judith
Michelle
Daniela
Katherine
María
Cyntia
Mariana
Mariana
Viridiana
Ingrid
Angélica
Verónica
Ana Fabiola
Sandra
Mónica

Tamara
Melany
María Alejandra
Jazmín
Arely
Nayeli
Magdalena
Lizbeth
Inés
Adriana
Alicia
María Isabel
Luna
Tania
Yoselin
Rosa María
Maribel
Mariana
Marisol
Margarita
Blanca Estela
Valeria
Paloma
Sandra
Jessica
Victoria
Lucía
Ana Isabel
Wendy
Raquel
Quimberly
Sofía

Debanhi
Yessenia
Johanna
Diana Laura
Olivia
Cecilia
Yrma
Luz Raquel
...
...
...

Después de que Marta y luego las dos mujeres que la apapacharon se fueron, estuvo un rato recostada. Miraba las sombras de las ramas de un árbol bailar en el techo con la luz del atardecer. A su lado Saratoga, que por fin se había calmado y sentado, se había quedado dormida, o escuchaba música con los ojos cerrados y sin moverse. Diana sintió la sangre palpitarle en la boca. Estaba hinchadísima, aunque le habían puesto una bolsa de chícharos congelados. Afuera se escuchaban algunas de las mujeres, todas las que estaban acá desde hace semanas ya, cada vez más, cada vez más distintas y activas, jóvenes y viejas, todas con algo qué hacer y alguien a quién encontrar. Primero Marta. Después, Rami trajo a una de sus clientas que se había vuelto su amiga, Roxana, que llevaba meses yendo y viniendo desde Pachuca para llevar su caso de violencia obstétrica en el que el «doctor» que la atendió ocasionó la muerte de su hija por negligencia. Había noches que la escuchaban llorar quedito en su colchón con un llanto como de niña. Tres semanas llevaban ya Tania y Sandra, mamás buscadoras, Tania de sus dos hijos de la misma edad que Eugenia y Sandra de una hija adolescente. Eran las mayores de todas, y también Lorena y Yatziri desde Veracruz se quedaban unas semanas cuando tenían audiencias para el amparo de su comunidad contra el robo del agua y otra demanda contra el gobierno del estado, porque unos policías las habían violado por defender su manantial. Esa tarde también estaba Bali, una activista trans que tuvo que salir huyendo de su casa en Puebla por amenazas. Bali, la más alta y a la vez quizás la más discreta de todas, posiblemente por la costumbre de pasarse una vida escondiendo su belleza y su fuego, alternaba entre quedarse en la comuna y en casa de otras amigas que también habían organizado un espacio similar. Diana se sintió larva en el compartimento de un hormiguero. Con los ojos cerrados escuchaba agua del fregadero, alguien lavando trastes, poniéndolos a secar, el agua del lavabo, sonidos de teclados, sonidos de pasos descalzos, Bali, siempre, otros pasos con zapatos de suela, seguramente Rami, los de Marta con tacón, los de Yatziri suaves como de zapatos de hule. Se escuchó el ruido del agua de la regadera contra los mosaicos. Alguien haciendo pipí, luego el agua del escusado corriendo. Así los ruidos se fueron apagando poco a poco. Había una tasa con hielo y un té de árnica que alguien había dejado en la mesita a su lado. También le dolía la cabeza. Pero todo ese dolor le devolvió la conciencia de estar allí. A veces, con ese estar allí y allá a la vez, se sentía como si estuviera ausente en todas partes, pero el dolor físico infaliblemente la tenía anclada. Mientras la luz se iba atenuando, la respiración de Saratoga se iba haciendo más pareja. Afuera las voces se hacían menos. Las que no se quedaban a dormir se iban antes de que cayera la noche y todo se volviera más peligroso. Y las que normalmente allí dormían, esa tarde se fueron con Bali a la casa de sus otras amigas, para darles un poco de tranquilidad a Diana y Saratoga y Yunuen porque sabían que hoy venía el padre de Eugenia. Al escucharlas irse, a Diana algo le brincó dentro del cuerpo de que aún no hubiera regresado Yunuen. No quería que fuera a llegar Adalberto sin que Yunuen estuviera de vuelta. Rami se asomó, con los lentes resbalándosele por la nariz, como siempre. Al ver a Diana despierta le hizo un gesto con la cabeza. Diana sonrió por reflejo, pero eso hizo que le volvieran a doler las encías. Resopló por la nariz y aguantó la risa, le levantó la mano y Rami le respondió con el pulgar levantado. Después de que se difuminó brevemente la sombra de los árboles con la luz natural que se apagaba, volvió a aparecer, más nítida y delineada con el farol de la calle. Poco a poco Diana intentó sentarse sin que la cabeza le hiciera alguna mala jugada. Sintió los dientes flojos.

> *Una jaula de ramas, no, de raíces. Unas raíces entrelazadas hasta hacer un refugio, un nido, una jaula, tal vez. O una casa de raíces. Raíces gruesas color ceniza contendiendo la oscuridad dentro. ¿Resguardando lo que está dentro o a quienes quedaron fuera? A un lado, una piel vacía. Muda de piel, de exoesqueleto, exuvia.*

Saratoga se sobresaltó al percibir su movimiento.

«Estoy bien, duérmete».

Saratoga se paró más rápido de lo que Diana pudo detenerle el brazo para que se quedara.

«Te traigo más hielo y árnica para que la hinchazón se aliviane de dentro. Yunuen ya no debe tardar».

Mientras la escuchaba mover trastes en la cocina, Diana miró las notificaciones de su teléfono celular por si Yunuen había escrito. En la pantalla: «Hallazgo excepcional en Teotihuacán». Tenía la palabra *Teotihuacán* en alerta por si acaso algo salía en la prensa que no supieran ni ellas ni la Fiscalía. Abrió el artículo, se trataba del túnel de Eugenia. Habían terminado de desenterrar todo, y Sergio, el jefe de Eugenia y Paolo, cuenta que encontraron cuatro ramos de flores atados de dos mil años de antigüedad. Eugenia no se la hubiera acabado, pensó Diana. «Pues el túnel, la tierra, nos regala estos cuatro ramos de flores», termina diciendo Sergio en el artículo. Y para Eugenia, ¿cuál regalo? ¿Cuál hallazgo? ¿Qué ofrenda le había traído ese túnel más que muerte? Diana se aguantó unas lágrimas de coraje y volteó el teléfono boca abajo en la mesa.

Se puso de pie, ayudándose con las manos. Tenía que salir de ese colchón-salvavidas un rato o bien ponerse vertical a ver qué pasaba con su cabeza.

«¿Crees que deba irme a hacer un estudio?», le preguntó a Saratoga.

Entró a la cocina, que estaba impecable. Sonrió y le dolió. En esos meses que poco a poco la comuna realmente se fue convirtiendo en una comunidad, todo estaba más limpio que nunca. Diana, que había crecido con la casa pulcra, lo notaba como por reflejo. Se sintió más tranquila y, aunque sabía que la limpieza era lo último que debía preocuparle, en ese momento le dio tranquilidad.

«Y si además de este arniquita, ¿te tomas unas pastas o algo? Si le llamo a Tania seguro nos las consigue luego luego», le dijo Rami. «Ya hablé con Yunuen, está estacionando el coche».

«Estoy bien así, el dolor me tiene aquí», respondió Diana en voz baja.

Saratoga le hizo otra infusión, esta vez helada, de árnica y hoja de aguacate. El frío se sentía como hormigas en los labios. Ya no era la larva en un hueco, sino un rostro lleno de hormigas. Se puso otra bolsa de chícharos helada en la frente, se sentó en el sofá, con los labios en el árnica fría de la taza. Apenas si bajaba el ardor. Volvió a pensar en los ramos de la ofrenda y en el golpe que le metió el policía y el ardor subía desde el fondo de su estómago. Coraje puro. Se trató de calmar.

«Quiero levantar una denuncia».

Saratoga iba a responder algo moviendo sus manos como para cortar humo invisible de la cocina cuando entró Yunuen.

Rami la besó, se besaron, y Yunuen dejó caer su mochila al suelo, soltando algo literal y metafóricamente. Rami sabía que tenía que irse por más de una razón. Era casi demasiado discreta, y Yunuen en parte tenía ganas de que se quedara, pero estos eran momentos en que todo se revolvía: el amor, el trabajo, el cuidado, la amistad, la acción y, como de costumbre, Rami le dio su espacio a Yunuen. Se dijeron unas cosas al oído y se dieron un último apretón y quedaron otra vez las tres.

Al revés de cuando era niña, a Yunuen el camino de regreso a casa se le hizo más largo. Le urgía llegar. Contarles todo lo que sabía a Diana y Saratoga para seguir armando su propio expediente, uno más entre tantos expedientes extraoficiales y entre tantos testimonios que poco a poco se empezarían a ir guardando en la comuna y en tantas otras casas y espacios que surgirían y se multiplicarían en la ciudad. Había subido los escalones brincando de dos en dos, con ganas de contarles la nueva información, aunque sin saber bien qué tocaba hacer, ya sabiendo la descripción física del asesino de Eugenia.

Cuando Rami se fue, lo siguiente que Yunuen vio fue a Diana en la sala con una bolsa de chícharos tapándole la cara: hizo grandes los ojos al verla y Diana se destapó con cuidado. Tenía la cara muy golpeada.

Al mismo tiempo, Saratoga parecía muy relajada en la cocina y Yunuen no estaba entendiendo lo que sucedía y cómo podían estar tranquilas si eso le había pasado a Diana.

«Luego te contamos», le dijo en seguida Saratoga, saliendo de la cocina con tres cervezas. «Primero cuéntanos tú».

«No puedo contar nada hasta que no me digan por qué tienes la cara así».

Saratoga, que era la que podía hablar (a Diana le dolía demasiado) le contó. El cerebro de Yunuen resumió la información como pudo: el golpe allí estaba y Diana estaba bien. Diana levantó su pulgar para corroborarlo, porque lo que urgía era saber qué había pasado en Morelos y qué había dicho Julio.

Yunuen le dio un sorbo veloz a su cerveza y les empezó a contar sobre lo que Julio vio. Trató de hacerlo al revés que Julio y no dar más detalles del contexto sino ir al grano, pero le resultó imposible no hablar de Julio mismo, de su valentía y generosidad y de su hija Citlalli. Lo que le resultó más difícil era contar justamente todo así, directo, se le atoraban las palabras antes de siquiera poder llegar a la garganta. Pero logró decirles lo que hizo, y se quebró brevemente para luego seguir con quién lo hizo: el hombre calvo de cabeza redonda, pulsera dorada y grande, cojo. No sabían nada más, pero ya era algo más que nada.

Al terminar de escuchar las noticias de Yunuen empezaban a discutir qué hacer con esa información, si compartirla o no con las autoridades, o si, después de lo que había sucedido ese día, debían seguir por su lado y olvidarse de la Fiscalía. Yunuen se terminó la cerveza de golpe, no había ni comido y se sentía un poco mareada, cuando sonó el timbre. Primero Yunuen ni reaccionó porque a esas horas nadie tocaba . O tenían llave o no. Pero Diana estaba haciendo gestos con las manos. «¡Adalberto!», Saratoga se puso de pie, «entre tanta cosa ya se me había olvidado ese señor». Sonó otra vez.

Saratoga contestó el interfón. Una voz habló y se escuchó como siempre, como si estuviera sumergida en agua. «Soy»... pausa... ruido... «Adalberto».

El coraje al escuchar esas palabras, todavía más profundo y caliente que cuando le pegó el policía ese, le volvió a subir a Diana por el cuerpo. Trató de calmarse, de componerse antes de que subiera.

Saratoga se quedó un momento allí congelada.

«Pendeja, vas o voy», le dijo Yunuen.

Saratoga se asomó por la ventana y echó una cuerda con la llave, gritando el número de departamento. Luego llegó a la puerta de un brinco y la abrió con cara de venado a punto de ser arrollado. Yunuen se sentía cada vez más mareada y se quedó sentada mirando la puerta, pasmada. Por fin, después de meses de buscarlo y de esperar una respuesta para verlo, aquí estaba Adalberto Reyes. Diana intentó dar la impresión opuesta, como si le diera lo mismo. Por fortuna los chícharos le cubrían la cara cuando entró el señor ese, y él no pudo ver su cara. Pero ella la suya sí. Tenía los mismos ojos que Eugenia. Inconfundibles.

Afuera se escuchaba el silbido de un carrito de camotes, ese aullido del inframundo y tan familiar a la vez. En el árbol frente a la ventana se estaban acomodando los pájaros antes de dormir. Como Diana seguía con la cara cubierta les tocaba hacer conversación a Yunuen y a Saratoga, y Saratoga era muy mala para hacer conversación. Adalberto se quedó detenido en la puerta con su sombra larga dibujada por el foco del pasillo atravesando la entrada. Se veía realmente alto. Eugenia no era tan alta. Tenía estatura normal. Saratoga pensó qué haría Eugenia si estuviera viva. Le señaló el sofá en lo que buscaba palabras.

«¿Agua?».

Dijo que sí con la cabeza y se sentó, con las rodillas que le llegaban a la mitad del pecho porque el sofá se sumió bajo su peso. Tenía una gran nariz pero la piel estaba llena de venitas rojas reventadas, probablemente por el alcohol.

«Adalberto. Soy el padre de María... Eugenia», le repitió a Diana como si por tener la cara medio tapada no pudiera entenderlo o escucharlo.

«Nadie la llama María, solo Eugenia. Llegas tarde», le dijo Diana magullando las palabras entre hinchazón. En seguida hizo una pausa incómoda.

«Somos sus amigas. Yo, Yunuen», dijo ella para continuar con la conversación.

Saratoga voló a la cocina por el agua. Con ganas de no querer ni verlo ni estar allí y a la vez de no perderse ni un minuto de la caída en cámara lenta que iba a ser la conversación con ese señor. Pero no había conversación. Más bien un monólogo.

«Tú eres con la que me he estado comunicando. Te agradezco que me hayas buscado...». Se le perdieron las palabras por un momento. «Aunque sea para anunciarme esta tragedia».

De tantos nervios, Saratoga miró el picaporte como lo miraba antes. Prendió un cigarro. Afuera un perro ladró y ladró.

«Llevo muchos años viviendo fuera, pero la compañía para la que trabajo me mandó acá hace poco más de un año porque necesitaban a alguien que se ocupara de ciertos asuntos y que conociera el terreno. Cuando recibí tu primer correo no supe qué hacer. Tantos años sin estar en contacto, me pareció mejor dejar todo por la paz. Pero no me sentía en paz. Así que decidí contestarte. Aunque fuera tarde. Qué más daban meses después de tantos años. Te agradezco que me hayas escrito».

«¿Fuera?», le preguntó Saratoga.

«En Panamá. Pero ahora estoy acá, bueno, en el Estado de México». Bajó la mirada, casi como con vergüenza, antes de seguir. «Gracias por buscarme para avisarme de la muerte de mi hija», dijo mirando sus manos enormes y rojizas. «¿Estaba enferma? ¿De qué?».

«¿Tu hija?», escupió Diana entre su inflamación. Adalberto miró hacia la ventana. Se dibujó su perfil de nariz protuberante. «Entiendo que llego demasiado tarde», volteó a ver a Diana directo. «Eres la hija de Gilda, ¿verdad?». No esperó respuesta, siguió: «Quería venir a darles las gracias y a preguntar si puedo ayudarles en algo, y saber de qué estaba enferma Eugenia».

De pronto volteó a ver a Saratoga con esos ojos como de Eugenia, como suplicando. Se notaba su esfuerzo por decir el nombre de Eugenia y no llamarla María.

¿Enferma? Saratoga prendió otro cigarro. El enésimo. ¿Cómo decirle lo indecible? Que no murió enferma. En vez de hablar, levantó el dedo para pedir tiempo, se paró y se dirigió al cuarto de Eugenia para traerle algunas cosas, al final era su papá, ¿no? Tal vez querría ver una foto de la mujer que abandonó cuando era niña hace casi treinta años y que no había vuelto a ver, ni volvería a ver. El cigarro humeaba junto al primero en el cenicero.

En ese momento el calor subió como hormigas de fuego por el cuerpo de Diana hasta hincharle la cara y llenarle nuevamente los ojos de lágrimas. Otro golpe hoy. No sabía cuántos más podía aguantar. Este señor hablando de Eugenia como su hija le pareció el colmo del cinismo. Este señor con el rostro de señas vagas como un lenguaje ininteligible, con entradas y el cuero cabelludo seboso. Diana y sus pensamientos se descarrilaron como la montaña rusa de Chapultepec. «Respira», pensó, «respira antes de que te desmayes o te venga una visión. Quédate aquí, no dejes de mirarlo».

Yunuen no se movía y no decía casi nada. Cosa rara en ella. El perico de la vecina se puso a hacer un ruido de infierno. Parecía como si se hubiera caído su jaula o algo. A lo lejos se escuchaba a la vecina gritar «Cállate, perico loco, cállate ya o te doy con la escoba». Yunuen se distrajo por un microsegundo pero el mareo no se le quitaba. Se estaba tallando los pellejos del dedo gordo con la uña del índice compulsivamente. Se dio cuenta de que el hombre aprovechó que se paró Saratoga para reacomodarse porque parecía estar incómodo en su asiento. No había bebido su agua. Solo la movía de lugar.

Saratoga estaba en el cuarto de Eugenia sacando cosas, Diana seguía con la cara hinchada, tapada por el paquete de chícharos congelados. Yunuen intentó brincar por encima de su confusión como lo hacía con los escalones, su confusión al tener de pronto a ese hombre allí, preguntando por una María enferma que era una Eugenia asesinada, a ese hombre al que ella había logrado encontrar después de años de ausencia. Se sintió acartonada, como cuando alguien se ve moverse desde fuera, tiesa y falsa. Trató de cruzar miradas con Diana, que estaba con la suya clavada en el hombre.

«Sé que no he estado, pero pues soy el padre de Eugenia, y la sangre cuenta», respondió de pronto como queriendo él también saltarse los escalones del tiempo, de la ausencia y del dolor.

La sangre cuenta. ¿Quién cuenta
la sangre? Cuánta sangre cuenta.
Lenguas cortadas. Ininteligibles.
Incontables gotas de sangre seca.
La sangre más pesada que el
agua, que la lluvia, que los días,
nos cuenta.

Saratoga salió a toda velocidad con la pulsera de Eugenia que tenía el nombre de Adalberto, y dos fotografías, porque le preocupaba que fuera a explotar la situación con Diana antes de que pudieran decirle bien al señor lo que había pasado, y más cuando hoy por fin, y después de tanto tiempo tenían algo más que contar. Cuando quizás incluso él podría ayudarlas en su búsqueda. Saratoga nunca había visto a Diana tan agreste, ni en su peor momento de gritos y cuchillos a mitad de la noche. Y Yunuen era muy seria y formal pero cuando se enojaba era fuego puro.

Diana ya estaba como brasa ardiente, Saratoga casi podía sentir el calor emanar de su cuerpo desde que había entrado el señor ese y en cualquier momento la chispa podía saltar de una a otra y prender.

«Estas son las fotos de Eugenia. Ésta, de niña con Clío», Saratoga extendió la primera y él sonrió sin tocarla, poniéndose un poco rojo. Parpadeó. Luego Saratoga le enseñó la pulsera. Adalberto bajó la mirada a su propia muñeca. Saratoga tuvo que mirar hacia otro lado para no llorar, no quiso ni voltear a ver a Diana y a Yunuen. Prendió otro cigarro, aunque el segundo seguía humeando y el primero ya era pura ceniza larga. Nerviosa, siguió:

«Esta es de nosotras en la playa hace unos meses… mira a Eugenia», le señaló a Eugenia en la foto, y la arrimó hacia él también.

En ese instante, la cara de Adalberto se descompuso.

Es el dolor, pensó Saratoga.

Con toda la velocidad y certidumbre que no siempre la caracterizaban, Diana decidió que ese hombre no tendría la comodidad de su amabilidad. Lo seguía mirando fulminante. Siguió resoplando detrás de la bolsa de chícharos que ya estaba completamente aguada. Era muy alto y pesado. Salvo sus ojos no se sentía ningún vínculo genético entre este hombre y su Eugenia. Seguro Saratoga tendría alguna explicación biológica pero a Diana no le interesaba. Este hombre le pareció repugnante. Estaba sudando. Hasta por los ojos. Diana bajó la mirada y notó que tenía las manos rojas, daban asco. Padecía una enfermedad de la piel y generalmente esas cosas no molestaban a Diana, pero esas manos le dieron repulsión. En la muñeca tenía una pulsera muy grande y dorada. Él no dejaba de tocarla, darle vueltas. En sus pensamientos, más veloces que un hámster en crack, Diana pensó que ya nadie usaba ese tipo de pulseras pasadas de moda, tampoco entendía por qué en medio de su furia y con la cara entumida estaba mirando una esclava. Como bola con chanfle de pronto entendió que era la misma que la esclava de Eugenia, pero versión macho alfa. Otro ruido se escapó de entre sus labios hinchados, como si viniera de su corazón.

A la par del sonido súbito que emanó del cuerpo de Diana, fue que Yunuen terminó de fijarse en la cara del hombre. Los ojos idénticos a los de Eugenia, el poco pelo que le quedaba todavía rizado, la piel blanca. Parpadeó. Desde el momento que llegó, Yunuen sentía que no estaba entendiendo toda la situación. Se sentó junto a Diana y le apretó la mano. Mientras Saratoga le enseñaba las fotos, Yunuen se enfocó en el padre de Eugenia con los ojos entrecerrados. Le volvió a apretar la mano a Diana, como para que se fijara en el papá también, y Diana había dejado de respirar. Con el apretón de manos recordó inhalar otra vez y le apretó la mano de vuelta con fuerza, casi jalándola.

Yunuen sacudió otra vez la cabeza, haciendo los ojos grandes al mirar a Diana, pero no quería que él fuera a notarlo. El hombre este tenía una pulsera enorme, era calvo con la cabeza redonda. Pero, ¿pues eso qué? Ni Yunuen misma estaba segura de lo que estaba viendo hasta que volteó a verlo mirando la foto de Eugenia en la playa. El señor estaba pálido, con la cara como una imagen digital llena de pixeles, descompuesto. Se puso de pie. Era muy alto.

«Esta es Eugenia», balbuceó. No era ni una pregunta ni una sentencia.

Volteó a mirar la ventana al preguntar casi murmurando: «¿Cómo murió?».

«La asesinaron en Teotihuacán». La primera frase completa que decía Diana. Tan ruda. Tan directa. Como el golpe que le rompió la boca. Nadie había podido nombrarlo en voz alta así de crudo desde que pasó.

Adalberto tropezó o perdió el equilibrio. Se tuvo que ayudar con el respaldo del sofá. Parecía un armario desvencijado de esos que alguna vez rescató Yunuen en la calle para amueblar la comuna.

«¿Baño?».

Se dirigió al pasillo donde apuntó Saratoga.

Al verlo arrastrar una pierna más que la otra y escuchar el pie rascando el piso del departamento, Yunuen también se puso de pie y fue a la cocina. Cerró la puerta. Estaba hiperventilando. Se sintió muy mareada y de pronto pensó que así se ha de sentir cuando alguien se desmaya. Volvió a parpadear. «Cuchillo», pensó. Puro instinto. Se volvió loba. Reflejo animal: protección, dolor, filo. Un absurdo, todo.

Cuando Yunuen salió de la cocina después de un rato que pareció eterno, el hombre, Adalberto, el padre de Eugenia, estaba ya bajando las escaleras.

«Fue él», les dijo casi sin voz a Saratoga y Diana que estaban congeladas, la venada y la víbora que desaprovechó el momento de morder.

«Fue él», dijo Yunuen entre dientes, con un cuchillo en la mano y salió corriendo tras Adalberto. Diana se puso de pie y el mundo empezó a dar vueltas. Le vino a la memoria una visión de años atrás: esa noche en la que ella había salido de la cocina con ese mismo cuchillo. Lista para atacar. El tiempo se estaba replegando sobre sí como el sobre de una quincena gastada. Diana cayó en el sillón.

Blancura. Oscuridad. Un aullido. Voces a lo lejos. El parloteo del perico. Nada.

Adalberto salió apurado y jalando su pierna así tras de él, como si la pierna no quisiera irse y él sí. No dijo «gracias», ni nada más. Había dejado las fotos en la mesa con prisa. Saratoga no entendía cómo alguien podría ser así. Ella tampoco tenía palabras. El tiempo se volvió un remolino en el agua. Yunuen sí tenía palabras, dos, y solo las dijo en voz ronca, antes de bajar por las escaleras. «Fue él». Pánico. Se le secó la boca y miró a Diana y luego a Yunuen con cara de plato roto. En su confusión Saratoga salió despavorida tras Yunuen y tras el padre de Eugenia. No vio que Diana estaba ida, se había desmayado. La puerta del edificio que daba a la calle no había alcanzado a cerrarse. Afuera, la calle de noche estaba callada, como si nada pasara ni allí, ni en ninguna parte del mundo. El pavimento mojado resplandecía. Noche cualquiera. En medio de ese silencio, se escuchaban los pasos. Saratoga alcanzó a vislumbrar la silueta de ese hombre alto, cojeando, dar la vuelta a la esquina a toda velocidad, y a Yunuen corriendo unos pasos más atrás. Lo último que vio fue el brillo del cuchillo reflejar la luz del farol cuando Yunuen dobló la calle tras de él.

A (te hago breve, te me desvaneces, lejano, abstracto, pura letra):

¿Cómo vuelve a salir el sol todas las mañanas? Cada día, al salir el sol, reviso noticias junto con mi café. O platico con Erme y su familia. Hablamos de lo que sigue sucediendo con las máquinas. ¿Cómo es que sucede todo lo que sucede en este mundo? Se derrama la sangre, se hagan o no ofrendas de animales, de personas, de objetos y todo sigue igual. ¿Y si se dejan de hacer ofrendas sigue todo igual? ¿Qué ofrendamos hoy? ¿O ya nos olvidamos de esa conexión entre nosotros y el cosmos? ¿El arriba, el aquí y el abajo? ¿Quién sale de noche? ¿Quiénes son nuestros interlocutores? ¿Quién escucha? ¿De algo sirve que escuche yo? ¿De algo sirve que escriban las que escriben? ¿Que cuenten quienes cuentan que sean testigos? ¿Sirve de algo hacer un hoyo que luego se volverá a tapar? ¿Sirve de algo hacer un hoyo para que no pasen las máquinas? ¿Sirve de algo hacer un hoyo y sacar todo lo que había dentro? ¿Y si rompemos un tejido invisible que mantiene el equilibrio acá? ¿Por qué, como dice Paolo, crees tú que en muchos lados siguen dejando ofrendas en cuevas y hoyos en las montañas? ¿Quiénes son esas comadres? Si las piedras y pieles hablaran, y las semillas, y el barro cocido y crudo que nos rodea... Y no, lo que hacemos es tratar de hacerlo hablar como ventrílocuos amateurs. Basta. Hay días que no puedo con todo eso. Por fortuna hoy otra vez no hablo, me toca escuchar. Hay asamblea.

Las abogadas han avanzado con la defensa por el lado del medio ambiente y también del patrimonio. Pero las máquinas siguen. Hay amparos. Hay que ir a hablar con los presidentes municipales de San Martín y de San Mateo Teotihuacán y también San Francisco Mazapa. Algunos dicen que ellos son quienes dejan pasar porque vendieron el paso al cerro. Es impresionante que, a pesar de las advertencias, a pesar del miedo, y de las amenazas, de que sabemos todos que en este país estas cosas terminan en sangre, seguimos. Siguen. Yo nomás de testiga.

Me tomaron una foto en el periódico. Circula la página con el artículo. Hablan de los arqueólogos defendiendo el patrimonio. Cuando se trata del territorio de la gente, les importa menos o conmueve menos, pero si se habla de patrimonio de la humanidad, pronto hace ecos. En el Instituto hubo polémica. No se puede defender la causa perdida, hay que buscar más dinero para lo que ya se está haciendo que es urgente. Y el tema del monte no es bueno para el dinero. Qué intereses hay allí metidos hasta lo más profundo de nuestra vida cotidiana y también de nuestras instituciones, me pregunté en la entrevista. ¿Y quién los frena si no mujeres con picos y palas? Ralentizar. Hacerlos frenar. Si el tiempo es dinero entonces hacerlos perder tiempo, aunque sea. Que su proyecto aquí les cueste demasiado caro. Ese otro tiempo es la lógica de la asamblea. Tienen razón. Si se puede hacer un hoyo como el de Teotihuacán sin herramientas de metal, se pueden frenar unas máquinas con unas palas.

Entre tantos argumentos que se escuchan cuando trabajas en esto de la arqueología también se justifica la llegada de los españoles como quienes vencieron porque ya había acá unas culturas sanguinarias y opresoras. Paolo dice que nuevamente eso es verlo a través de nuestros ojos de occidente, que piensa en la cultura como se ha explicado desde lo griego, lo romano, lo sumerio, lo bíblico. Y que esa realidad tiene muy poco que ver acá. Incluso la visión egipcia no aplica. Acá la cultura surgió no en torno a un mar Mediterráneo, a través de siglos de comunicación. Sino bastante aislada, a pesar de los indicios de que hubo más contacto con Asia y África que el que se pensaba. Sin embargo, aunque Teotihuacán fue una megalópolis, acá no surgió la cultura de la misma manera. Basta de verlo con esos ojos, es como leer con lentes oscuros, leer a medias, adivinar apenas, ir tanteando en un túnel a oscuras. Paolo dice que, por ejemplo y a diferencia de Egipto, acá las pirámides no se construyeron oprimiendo esclavos. Que hacer pirámide, domesticar monte, era tequio. Es una idea profundamente bella. A diferencia de sus colegas marxistas que ven la opresión en todas partes, él lo que lee es colaboración, trabajo comunitario. Me acuerdo de esto mientras escucho a los pobladores organizar turnos para frenar las máquinas. Mientras los escucho hablar de las amenazas que reciben y veo que a algunos no les queda más que reírse de ellas juntos, algunas no se ríen, se consuelan juntas. Se abrazan, ponen los cuerpos.

Esta mañana encontramos unos cascos de bala en el zaguán de la casa de Ermelinda. Otro tipo de amenaza. Será que algo se logró frenar y les dolió. Indicador de que vamos por buen camino.

Veneración, gratitud, reconocimiento: ofrenda.

En mi túnel me encanta observar el trabajo con las semillas. Me da envidia de la buena el trabajo con los caracoles. Yo trabajo con los objetos de piedra tallada: las cuentas, miles y miles, y las puntas de lanza, herramientas varias. Cada quien a lo suyo. Las que trabajan con los cestos y las telas merecen toda nuestra admiración. ¿Te imaginas restaurar, rescatar, resucitar casi, una canasta que lleva en el lodo más de dos mil años? Pura voluntad, otro tipo de ofrendar. Y todo este cuidado, ¿será lo que nos define como humanos?

Hoy amanecí adolorida. Las rodillas como herrajes oxidados que ya no ceden de tanto estar hincada. Es duro cuando el cuerpo decide pasar la factura. Extraño nuestras clases de ejercicio con Saratoga. Es más, si he aguantado hasta ahora será gracias a eso. Me despierto y me estiro, intento replicar algunos de los ejercicios en mi cuartito. Abro la puerta y se cuela la bruma y el frío delicioso del campo en la madrugada. A lo lejos escucho que toda la familia está despierta ya. Salgo a lavarme al baño. De vuelta reviso mi teléfono, y ya tengo un mensaje a esta hora. Curioso. «Ahora sí ya te chingaste. Te vamos a...». Lo aviento sobre la cama como a un animal venenoso. No quiero seguir leyendo. No hace falta. Así ha sido toda esta semana. Lo hemos hablado entre varias por acá. No soy la única, además. Ya bien despierta, me hago mi trenza con cuidado, me acicalo lo mejor que puedo y me visto con cuidado: mis pantalones sucios de ayer los sacudo, mis huaraches, unos aretes. Estoy viva, estoy bien, estoy aquí, esta es mi ropa, sobre mi cuerpo. Soy yo. Tiendo la cama: esta es mi cama. Mi cobija la sacudo. Respiro. No tengo miedo. Borro el mensaje y enfundo mi celular al fondo de mi morral. Sí tengo miedo. Salgo del cuarto y el frío de la mañana me devuelve a mi cuerpo. No tengo miedo. Ahorita, no pasa nada. Entro a la casa y le doy un gran abrazo a Ermelinda sin decirle nada. Solamente lo anoto aquí antes de salir al trabajo. Perro que ladra no muerde, dicen. Tengo tanto que aprender, que escuchar, tanto por hacer, por recuperar.

La línea del tiempo y del espacio se distiende, una línea tenue entre la vida y la muerte, entre la justicia y le venganza, entre vivir y sobrevivir. Estas líneas y linajes que nos vinculan con nuestros fantasmas. Un palimpsesto. Una hilera de cruces rosas hasta el horizonte. Palabras que son alas, balas, te están buscando. Puntos suspensivos...

Como un mapa, como las huellas de un camino, como piedras para cruzar ese arroyo, como una pista. La última. Una línea y otra y otra— hilos tendidos.

DESPUÉS:
UN ARCHIVO

Mi único país es mi memoria.
ALEJANDRA PIZARNIK

«Here's a memory you can trust.
Here's tears to last you years,
and still, still, still, still, somehow, dancing».
PRECIOUS ARINZE

[Aquí tienes un recuerdo confiable / Aquí tienes años de lágrimas / y sí, sí, sí, sin embargo, todavía, bailando].

«The living reduce the dead to those who have lived;
yet the dead already include the living in their own great collective».
JOHN BERGER, *Hold Everything Dear: Dispatches on Survival and Resistance*

[Los vivos reducen a los muertos a aquellos que alguna vez vivieron; mientras que los muertos ya incluyen a los vivos en su gran colectivo].

«[La cuestión del archivo] Es una cuestión de porvenir, la cuestión del porvenir mismo, la cuestión de una respuesta, de una promesa y de una responsabilidad para mañana».
JACQUES DERRIDA, *Mal de archivo* (trad. Paco Vidarte)

Arriba de este lugar se rasgaron las telas, las banderas, las vestiduras, los vestidos, mientras algunas nos escondimos como semillas en invierno. Dejamos cantos, tacones, notas, cuentos, estuco, cuentas, tucanes de Tijuana. Debajo, nos descamisamos, nos descascaramos. Nos deshojamos para algún día poder brotar. Después de años bajo tierra, después de que la enfermedad, el calor, la guerra, la guerra, la guerra, la guerra se llevara a tantas y tantos y más y más hasta que el mundo se fue borrando de nuestras memorias como pintura antigua, algunas seguimos, necias. Cuando las que quedamos escondidas en túneles nos olvidamos de lo que era la luz, tanto así que nos olvidamos también de lo que era la sombra porque nuestro mundo sombra fue el único, empezamos a brotar.

En ese mundo de inflamación, de llamas, incendios y fiebres, tuvimos que olvidar lo que era tomar agua, nos volvimos pesadas, como la sangre que busca lo oscuro, como la sangre que moja las raíces. Aprendimos a cosechar humedad con la lengua contra la piedra. Comimos musgo y helecho albino. Comimos hongo y fango. Ahora aprendemos que ese mundo tuvo que arder para que germináramos, verdecitas, tiernitas, nuevas, recién estrenadas las que buscan, las que duermen, las que miran y las que sueñan.

En el mundo de arriba, la humanidad se había convertido en un molusco que resbala por nuestra garganta hasta darnos cuenta, demasiado tarde, de que está podrido, que es veneno, maldad pura. Aprendimos a ser otra cosa que humana. Nos inhumamos. En el humus pululamos, nos hicimos espuma, devenimos marabunta, juntas. Devenimos ínfimas, devenimos furtivas, rastreras y así sobrevivimos a ese mundo que hicieron todo por borrar, todo por olvidar.

Y aunque no han pasado tantos años, tan solo los suficientes, hoy desde estos túneles, desde estas cuevas y guaridas, desde estas galerías y estas grutas y minas, algunas decidimos que debemos resguardarlo. Las otras nos dicen las secretarias de la muerte. También dicen que somos las guardianas de la memoria, las rastreadoras de restos, las carroñeras. Ellas son las que miran, las que duermen, las que sueñan. A nosotras nos dio la fiebre de memoria. A tientas vamos rescatando documentos de ese mundo pasado, caduco; testimonios del colapso, palimpsestos apocalípticos, recuerdos de la resistencia, para poder entender cómo llegamos aquí y para poder todas germinar algún día como maíz, como brotes tiernos, como flores que embriagan.

En una caja tenemos el último escudo de la última bandera: se dibuja en hilos una niña con el puño alzado y junto a ella una mujer encapuchada, otra mujer con un huipil rojo, una madre buscadora con casco y herramientas. La última bandera de aquel mundo, el que llamábamos verdadero, hasta que este mundo sombra se volvió el verdadero y el verdadero se transformó. Esa bandera, dice una de las que rasca, es de mundos convergiendo como cúmulos de galaxias en el espacio.

Las que duermen, las que sueñan y las que miran también nos llaman lenguas bífidas. Nos gusta contar, y recontar. Pasamos y repasamos. Vamos entre los túneles en busca de lo que se pueda. Nuestras expediciones de salvamento consisten en recorrer galerías, grutas, huecos, y pasadizos y corredores subterráneos cercanos al nuestro. Los mapeamos como se trazan las arterias de un brazo amado. Por allí en la G-7 encontramos huesos, latas caducas, carbón; por allá en la Q-15, cuadernos, fotografías, teléfonos, pilas, computadoras; en la W-1 ropa y más ropa. Vamos acumulando, transcribiendo, haciendo la conversión de cosas en casos, de dientes en datos, buscando el alfiler entre la paja a ver si nos encontramos en su brillo. Buscar para no cometer el error de pensar, decimos entre los suspiros que son nuestros cantos.

Las que duermen están en metamorfosis. Mientras ellas en su pupa lenta, nosotras en un tiempo paralelo seguimos guardando, archivando, acomodando, ordenando, transcribiendo, transformando. El método es el de la locura, de la fiebre, del canto. Y en esos códices que armamos —papiros de poliéster, pacotilla y perseverancia— vamos dejando nuestra baba de caracol, rastros al pasito tuntún, porque es imposible evitar nuestros comentarios al margen, glosa y glitter. Adornamos sus historias con nuestro grafiti, vini, vidi y valió, interrumpimos con nuestro hipo sus frases, perseguimos su memoria como un perro su cola. Por ejemplo, desde hace algunos días estamos ocupadas con las vidas y la muerte de cuatro amigas. Encontramos sus testimonios, diarios, papeles, ropa y recuerdos hace algunos meses en la cueva A- túnel 5. Fue un hallazgo interesante porque notamos por los restos que vivieron al menos dos o tres personas varios meses y hasta dos años allí y que resguardaron sus cosas con cuidado, que allí soterradas fueron contando y guardando con ganas de que su historia sobreviviera al tiempo y así, ahora, nosotras le damos abrigo permanente y encriptado a lo que queda de ellas en nuestro archivo semilla. Porque sabemos que algún día las que duermen renacerán, brotarán tiernitas y así sabrán cómo llegaron hasta aquí.

Hay veces que esta fiebre de memoria duele en los huesos. Hay días que no queremos seguir, y el tejido conjuntivo que somos, se inflama. Pero sabemos que para sanar debemos juntar los pétalos de estos recuentos, de estos cantos de tiempo de lluvia roja. Somos anfibias, y andamos a tientas por las vidas ajenas: a ver si así aprendemos a respirar mejor en el nuevo mundo de arriba. Entre los huesos y los huecos, las palabras y los restos, solo la fiebre y el fuego, el ámbar y la sangre nos enseñan qué puede sobrevivir.

Las que miran calculan el riesgo porque a veces nos podemos encontrar a aquellos, pero ya no quedan muchos ni de nosotras ni de esos. Ni de nada. Solo la parte de un todo, restos, y en la resta nunca nos sale la cuenta pero por eso contamos, a ver si algún día se salda el saldo y la deuda con ese mundo se muta en regalo, como dicen, generosas, las que sueñan.

NOTAS

La noción de la secretaria de la muerte es de John Berger en *And Our Faces, My Heart, Brief as Photos.*

Algunas de las palabras de la señora de las agujas de tejer en la Fiscalía son parte de los testimonios que madres buscadoras le compartieron a la periodista Daniela Rea.

AGRADECIMIENTOS

Decir que escribir es un acto solitario es una mentira. Yo escribo acompañada: de mi abuela Carolina, de mi abuelo Manolo y de mi tía Esperanza, y de todas esas amistades que son familia y que con sus palabras y su cariño me ayudaron a sacar este libro de ese cajón de la larga espera de nueve años. Escribí este libro con, y gracias a, el amor, la presencia y el regalo generoso de tiempo que me hace Alfonso Díaz y gracias a que Lila y Sabina me dan razones para escribir.

Escribí este libro pensando en Christina, la madre de mis mejores amigos de la secundaria. En ese entonces fue víctima de feminicidio, aunque no teníamos las palabras para nombrarlo. Lo escribí de luto por Aura, Quetzal, Sonia, David, Martin, Isaac, Sergio, Jonathan, Bruno y para sus presencias.

Empecé este libro a pesar (o quizás a causa de) de un huracán de violencia en mi vida, y las palabras fueron faros para no perder el rumbo ni la esperanza.

Y terminé este libro ¡y existe! gracias a la paciencia, la complicidad, las lecturas, la interlocución y los cuidados de Diego Rabasa, Marina Azahua, Brenda Lozano, Emiliano Monge, Yolanda Segura, Heather Cleary, Pia Camil, Alan Page, Juan Cárdenas, Eduardo Rabasa y Rebeca Martínez. Y también gracias al acompañamiento y consejos de Leticia Jauregui, Aura García-Junco, Daniela Rea, Jazmina

Barrera, Elvira Liceaga, Nayeli García, Margo Glantz, Valeria Luiselli, Lizbeth Hernández, Annia Ezquerro, César Galicia, Paula Amor, Elvira Liceaga, Regina Lira, Daniel Hernández, Juan Luis de la Mora, Lia García la novia sirena, Sofia Broid y Nohemí Montoya. Gracias siempre a Luna Marán y a Yásnaya Aguilar Gil por imaginar juntas otros futuros posibles. Gracias también a Ale y Abraham por hacerme casita.

Quiero agradecer a todas las diversísimas comunidades y colectivas, guardianas de la memoria, compas y amistades con las que he compartido tiempo, acción y educación política, sin las cuales no podría escribir nada de lo que escribo.

Agradezco el viento, el espacio y el tiempo que me regaló Ucross Foundation en Wyoming para terminar lo que parecía no tener fin.

ÍNDICE

Feral
se terminó de imprimir en el mes de noviembre de 2022
en los talleres de Quitresa Impresores,
Goma 167, Granjas México, Iztacalco,
C.P. 08400, Ciudad de México